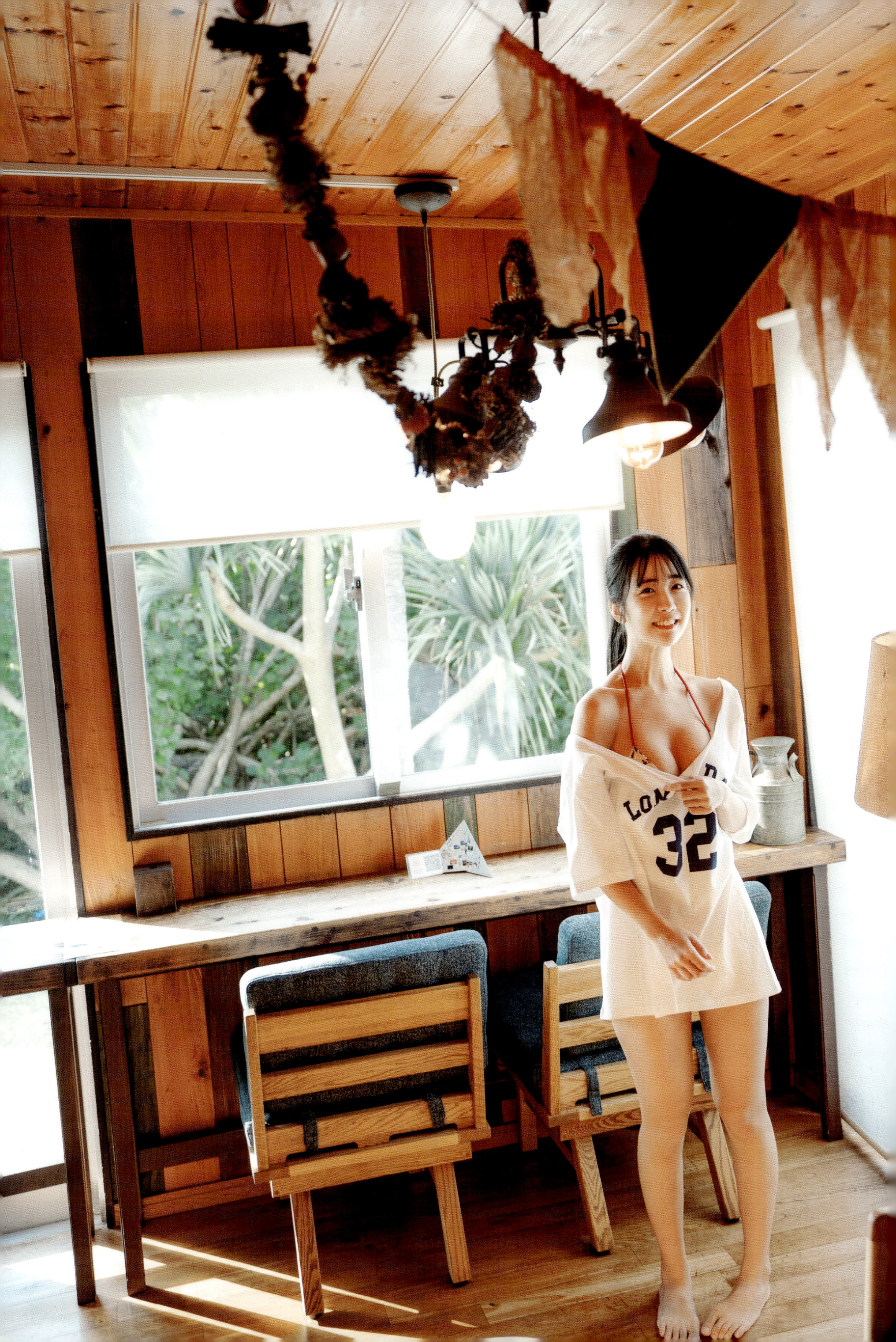
32

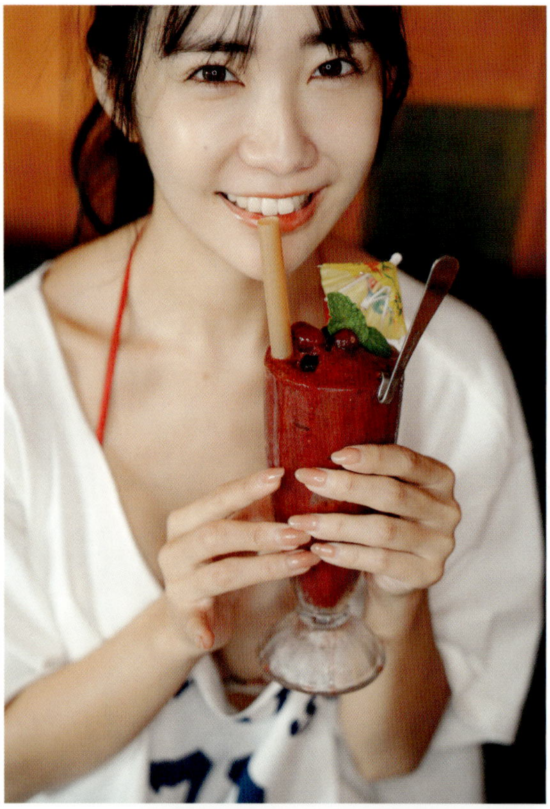
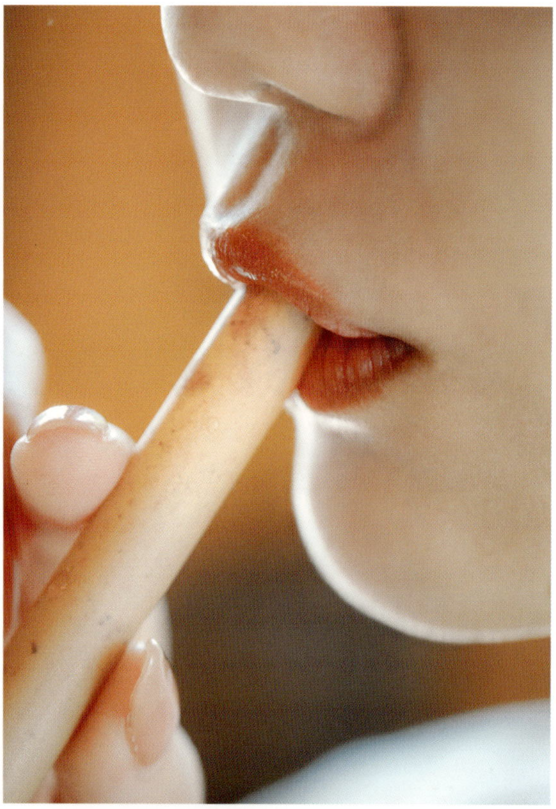
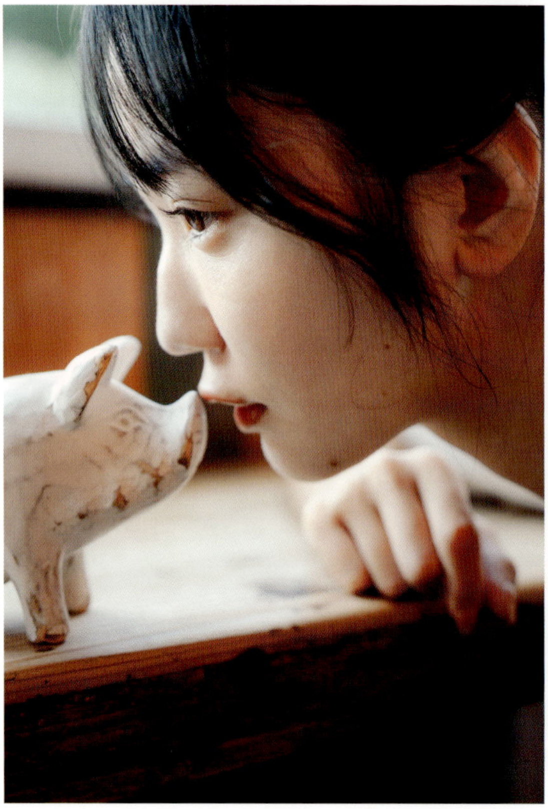
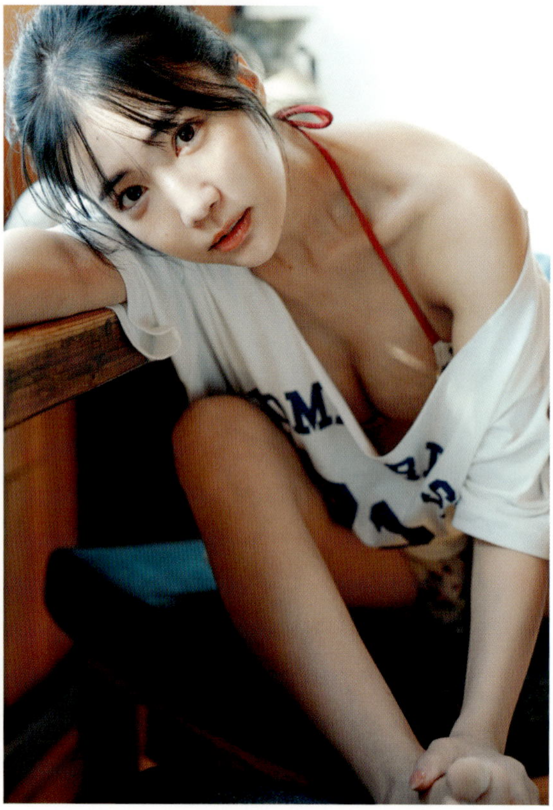

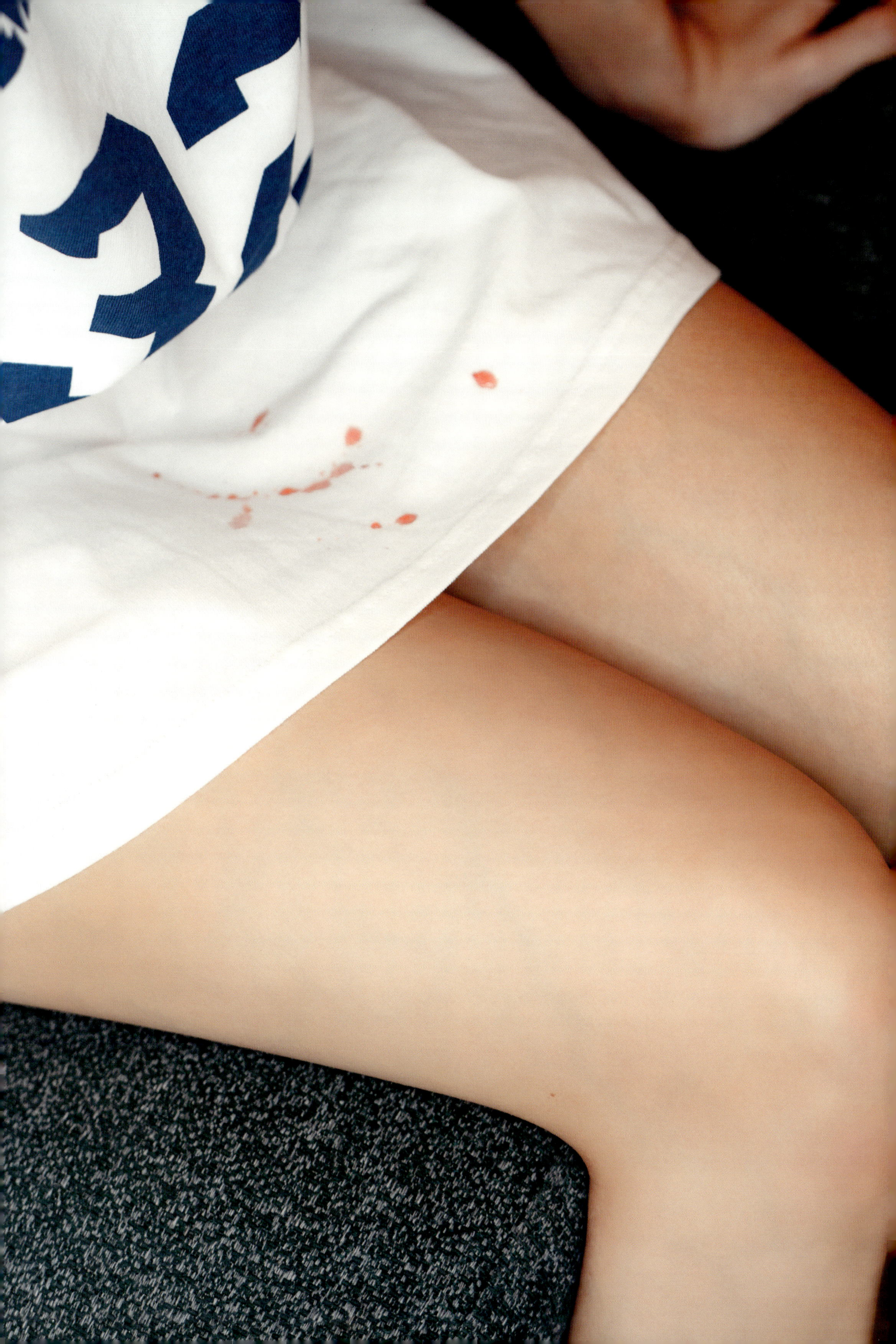

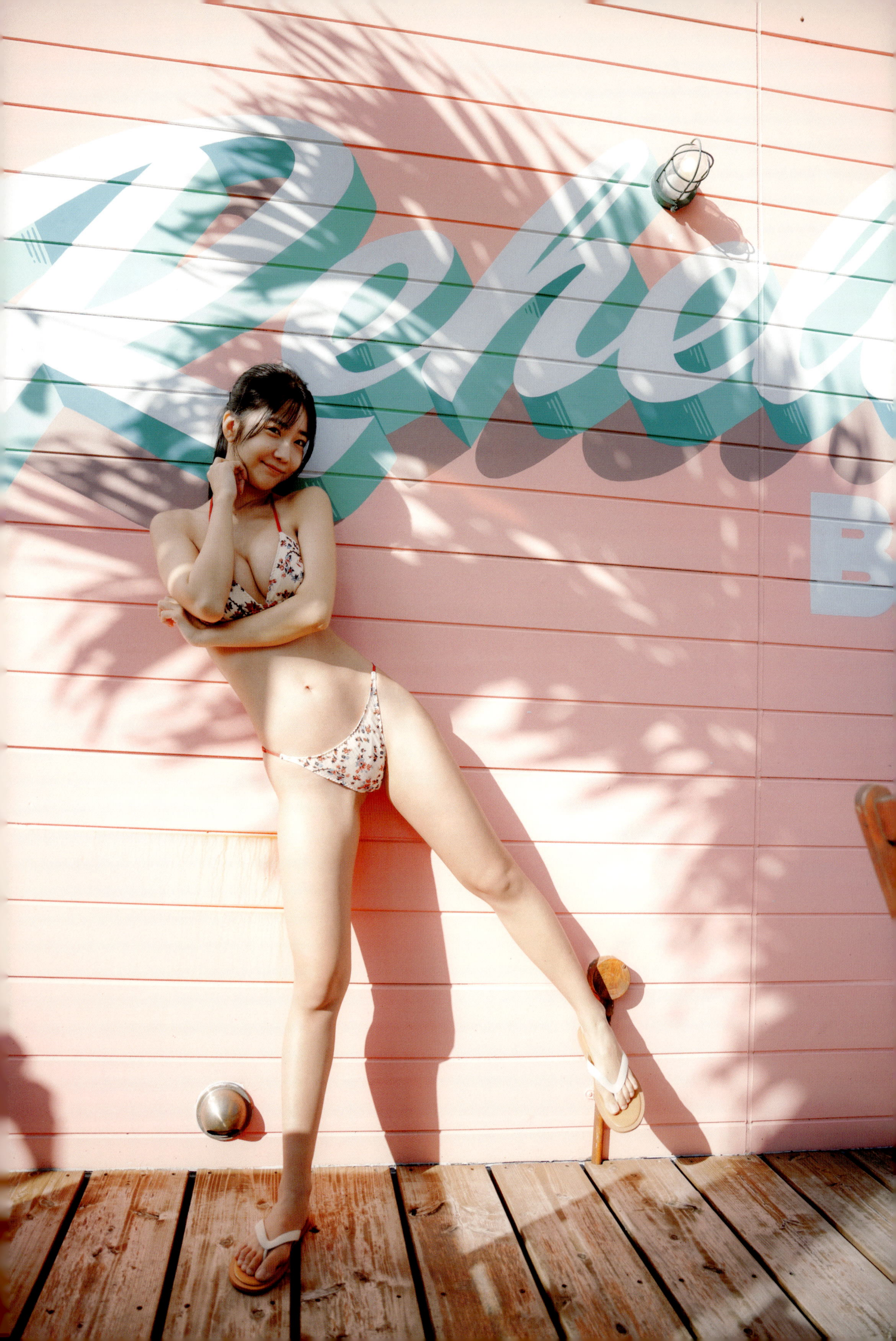

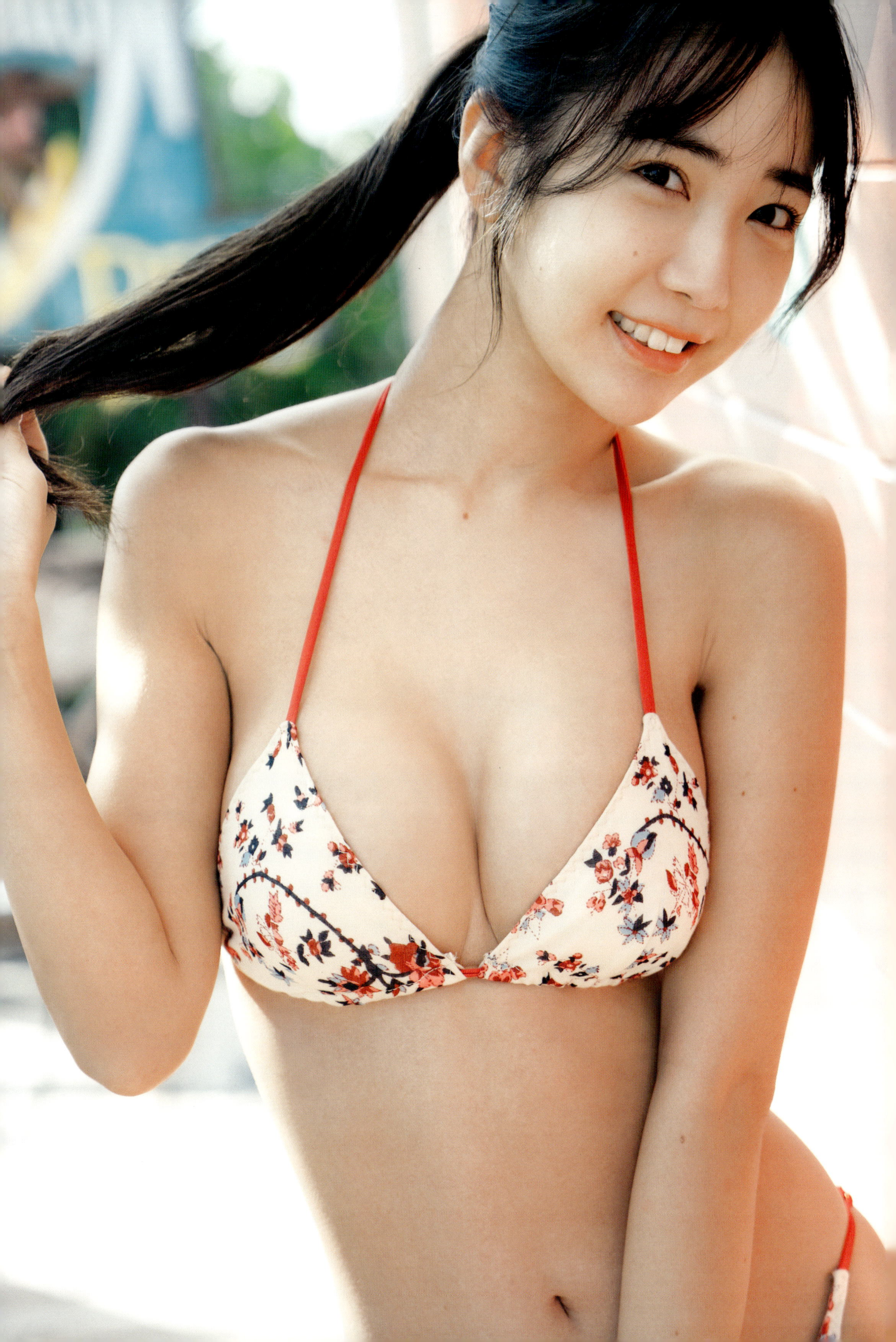

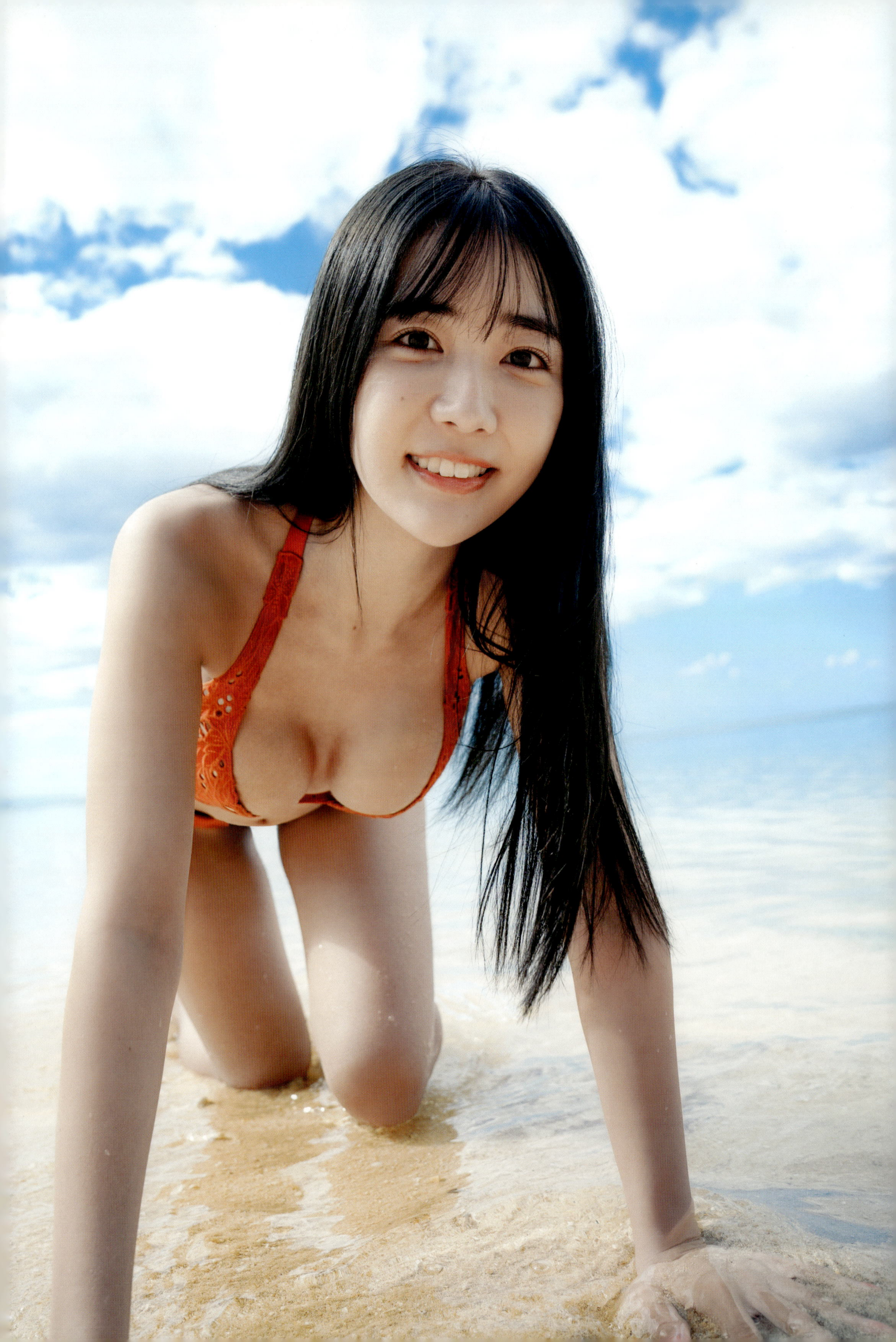

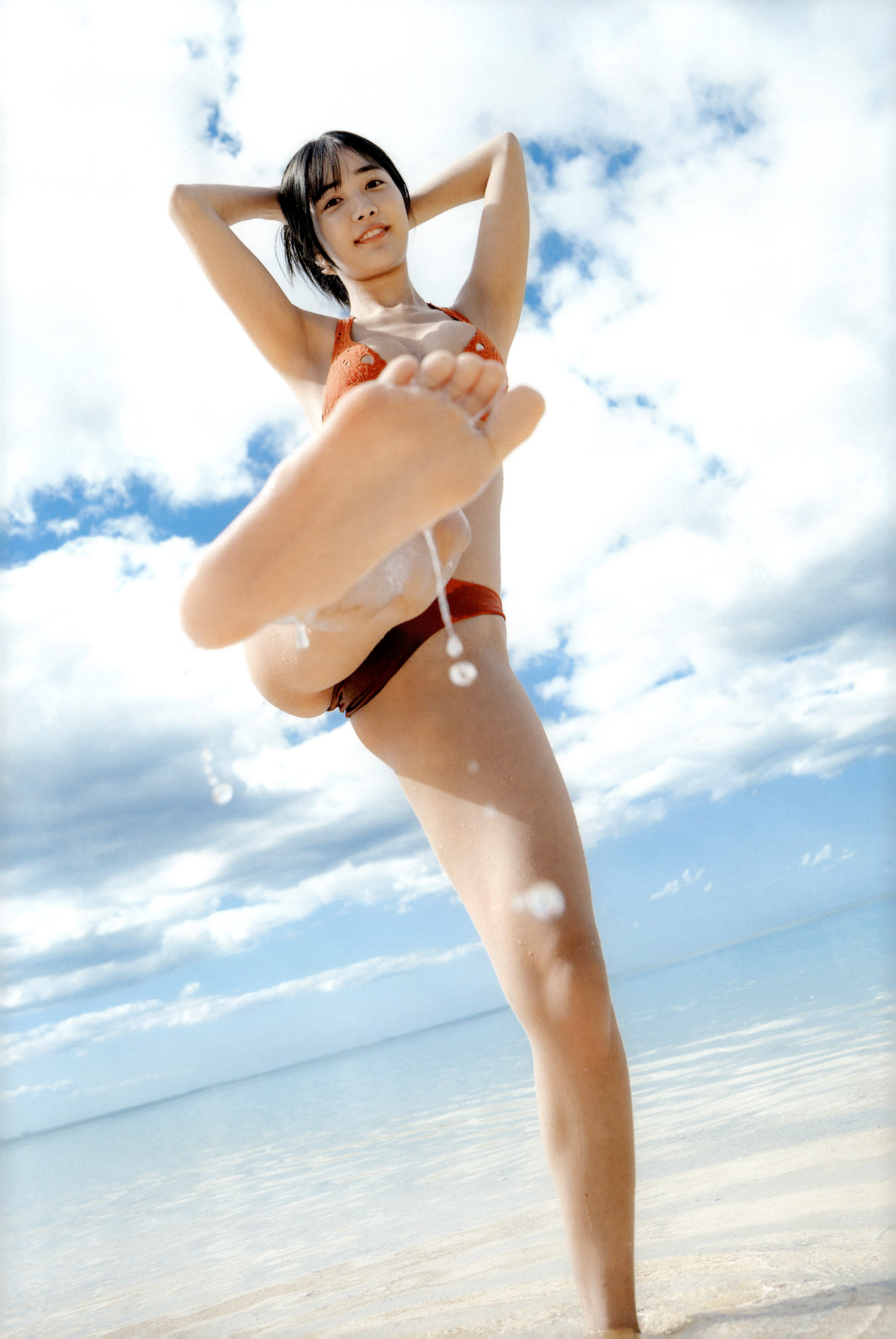

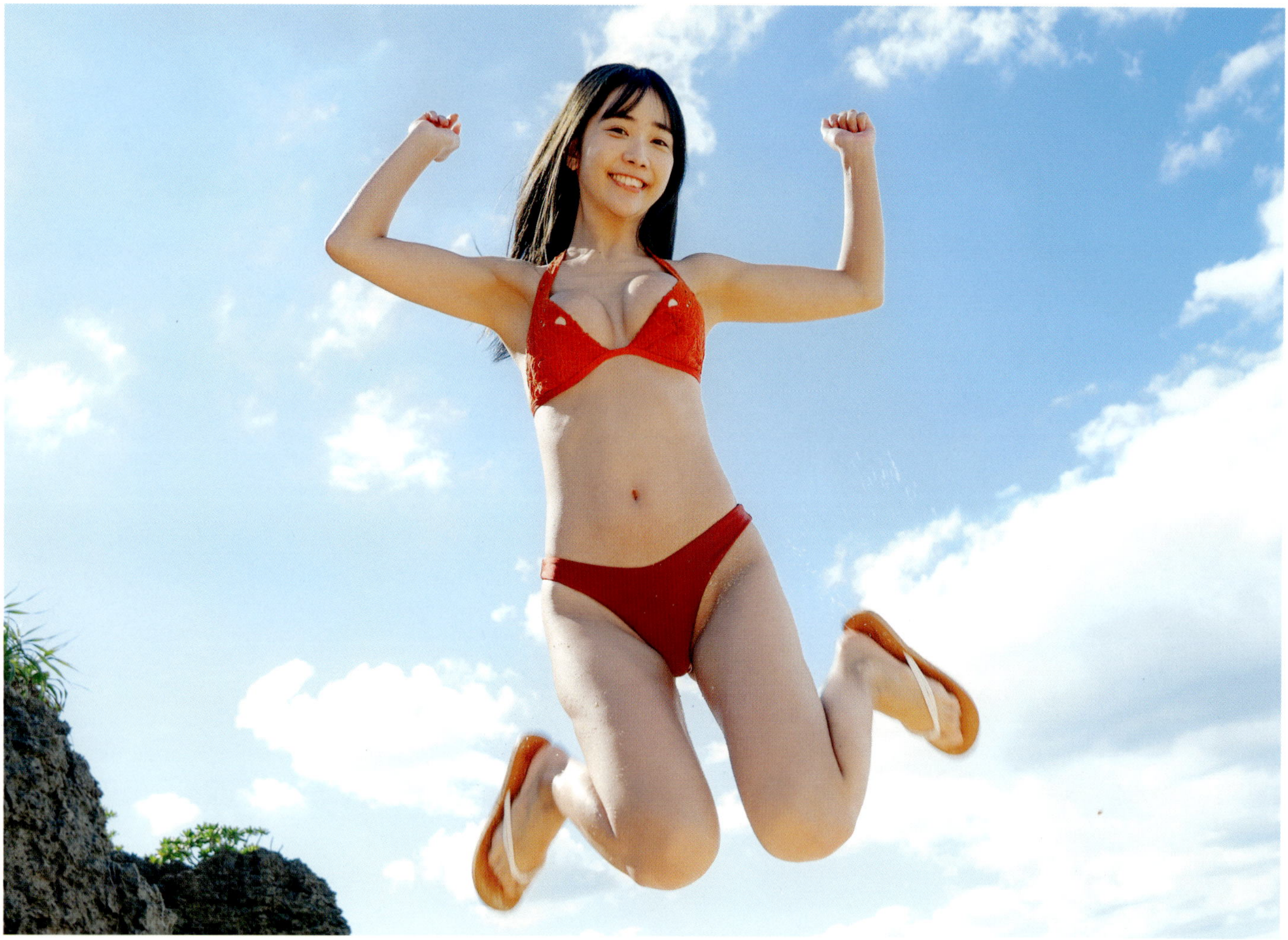

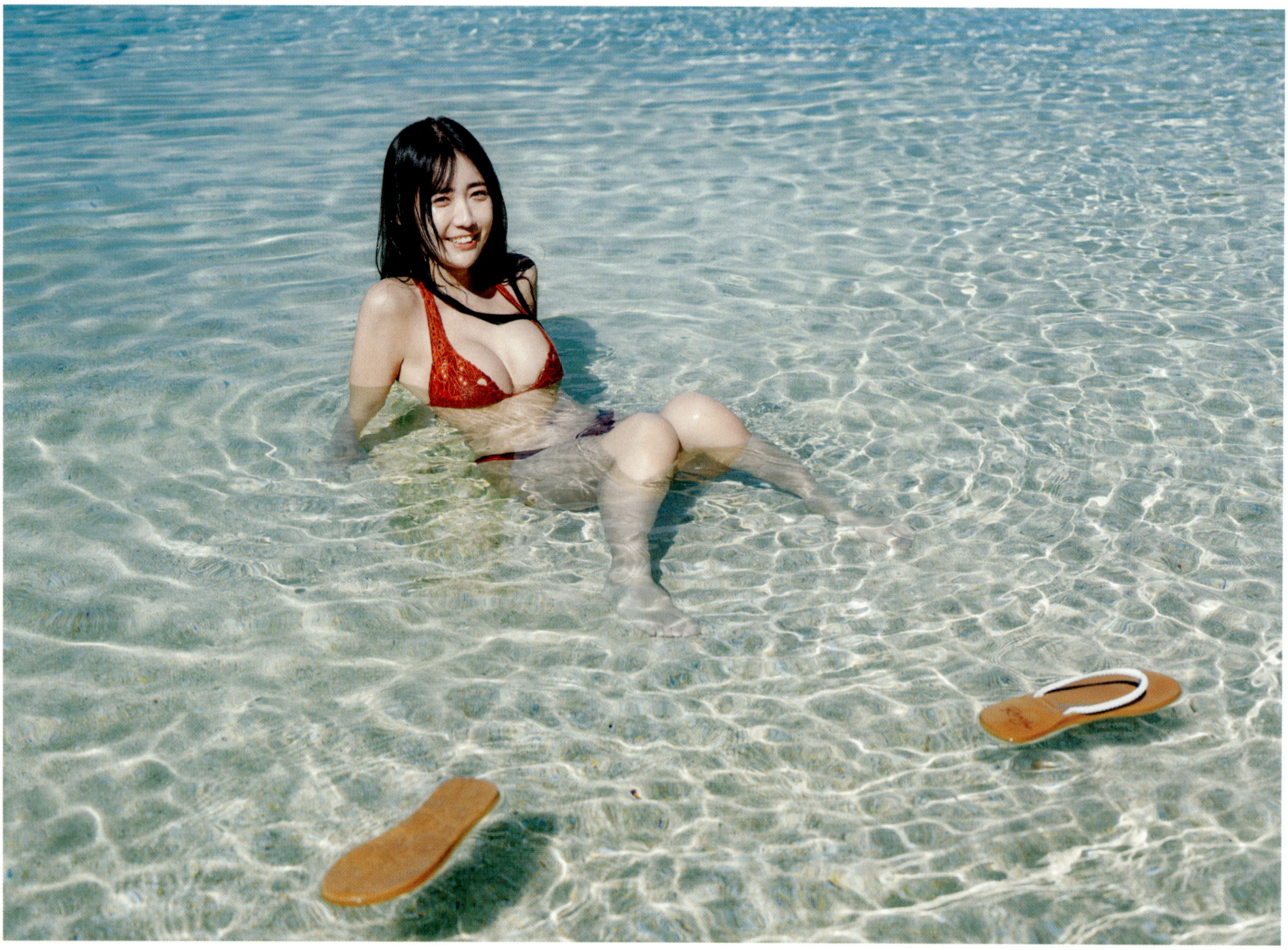

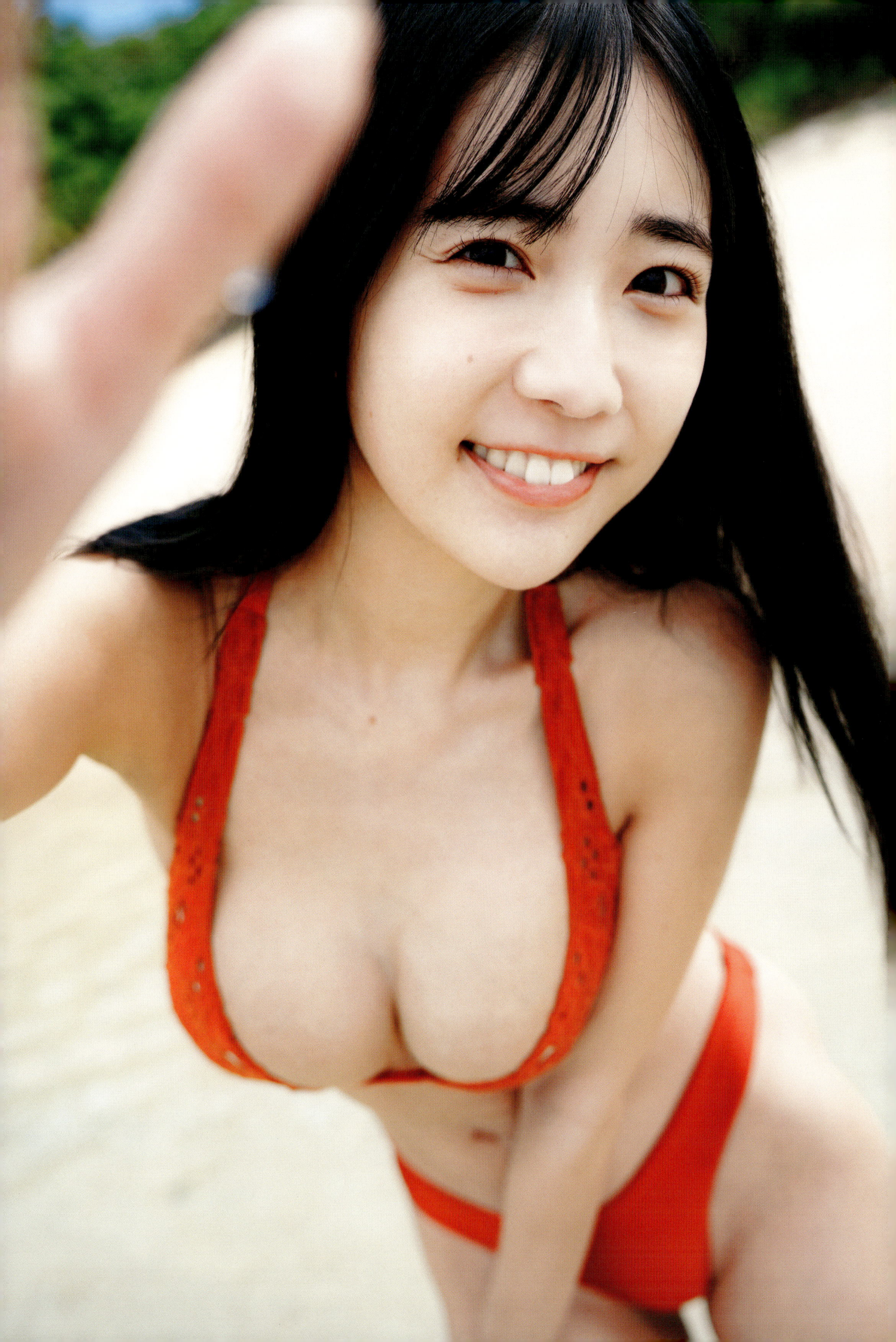

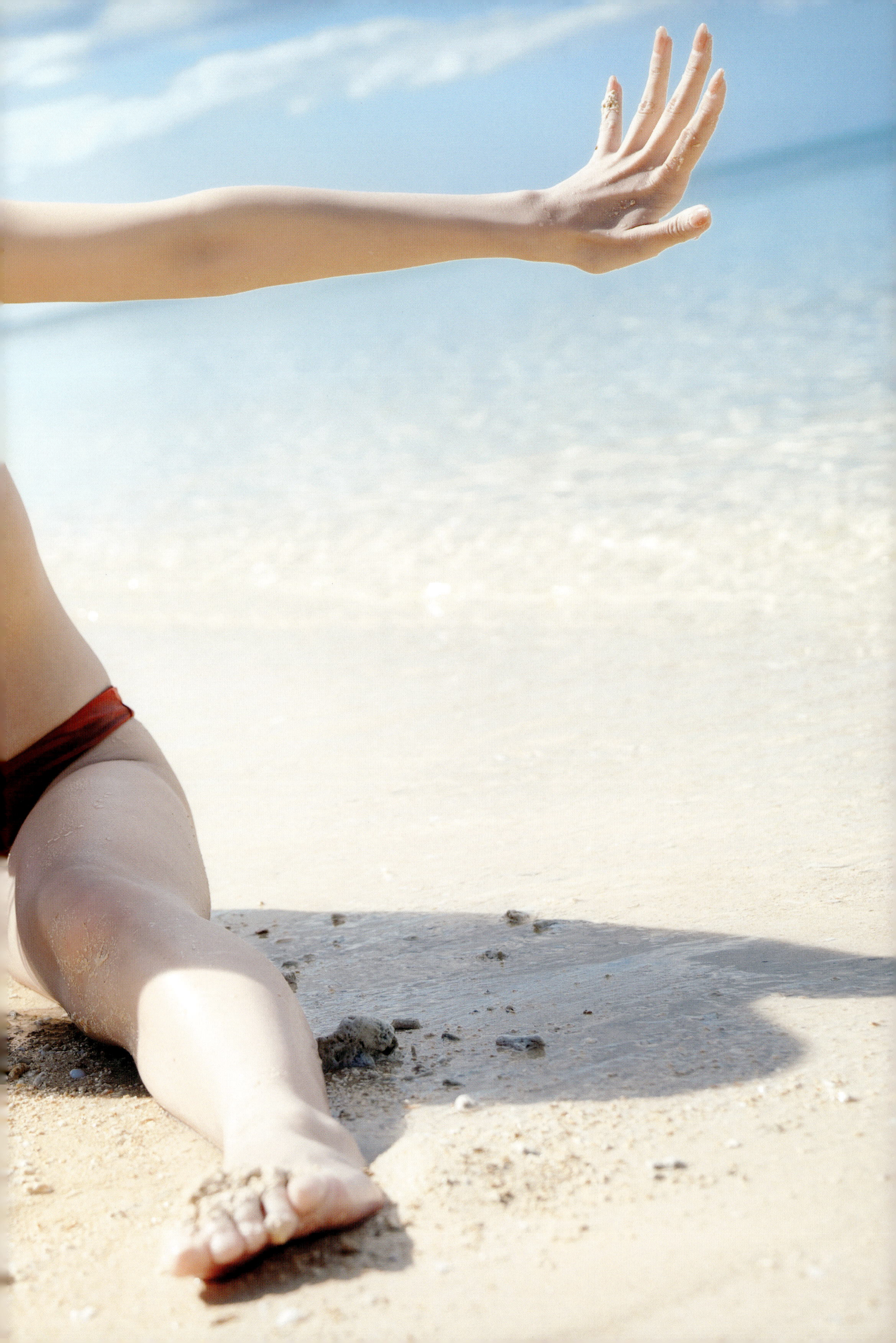

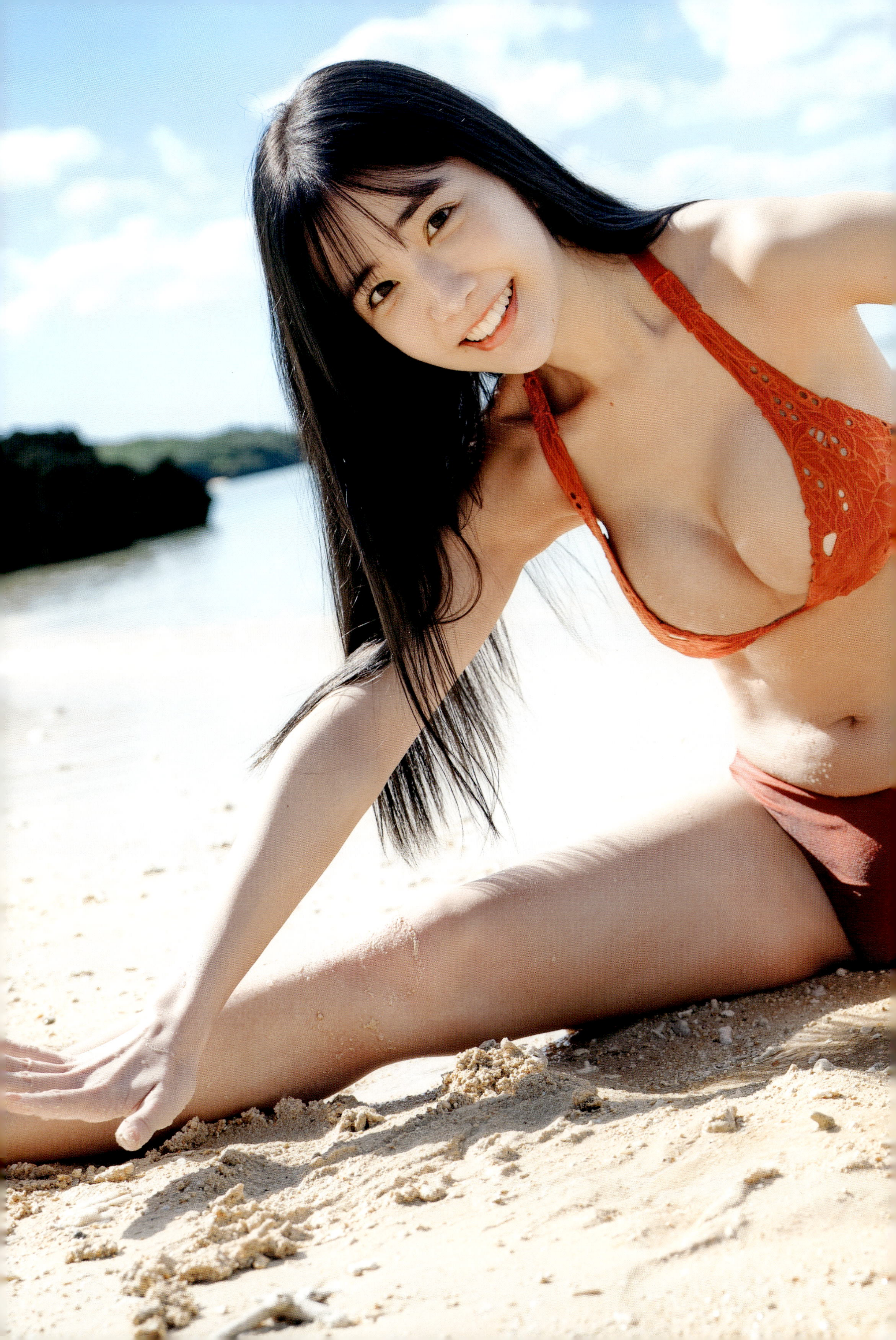

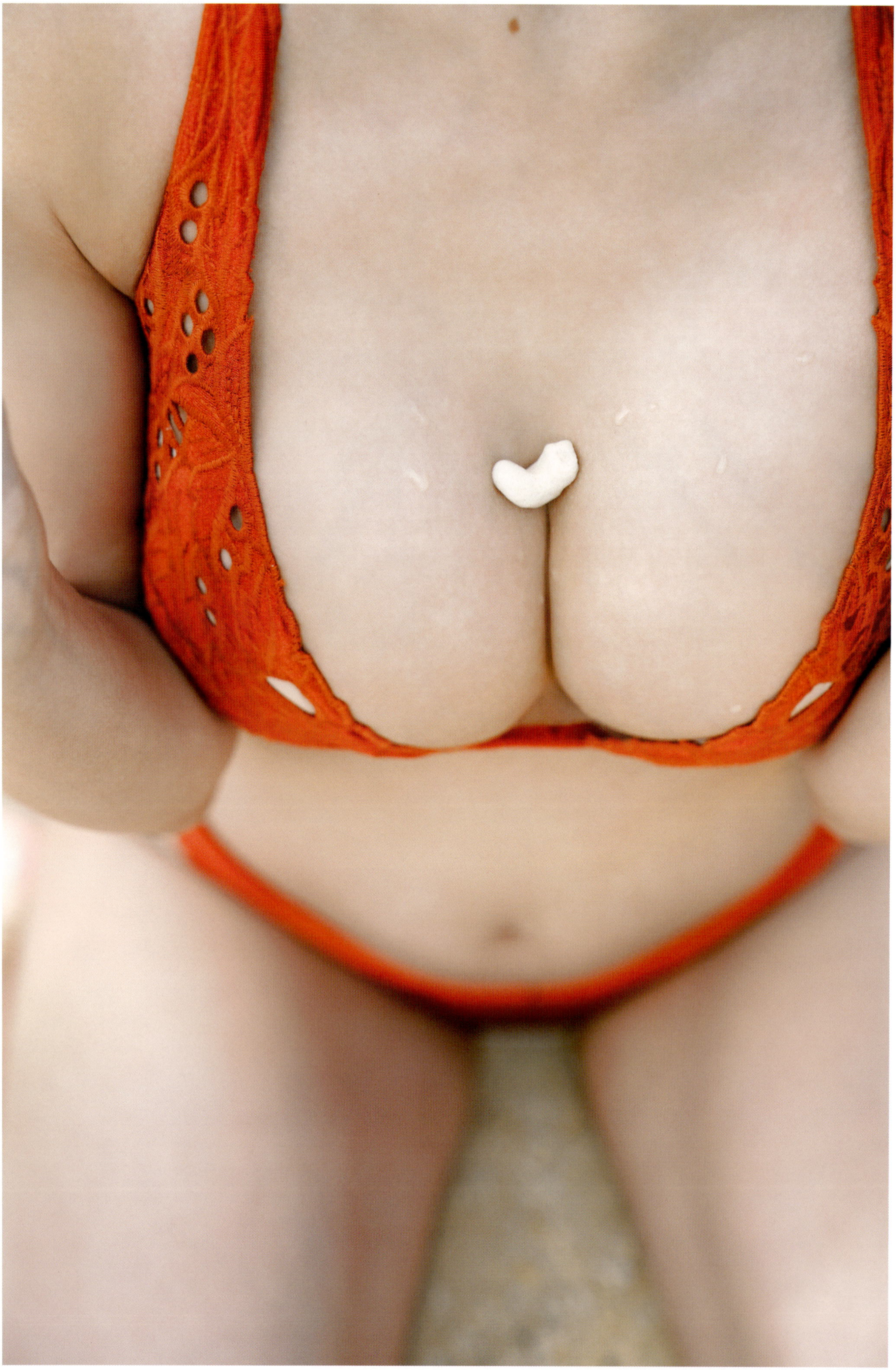

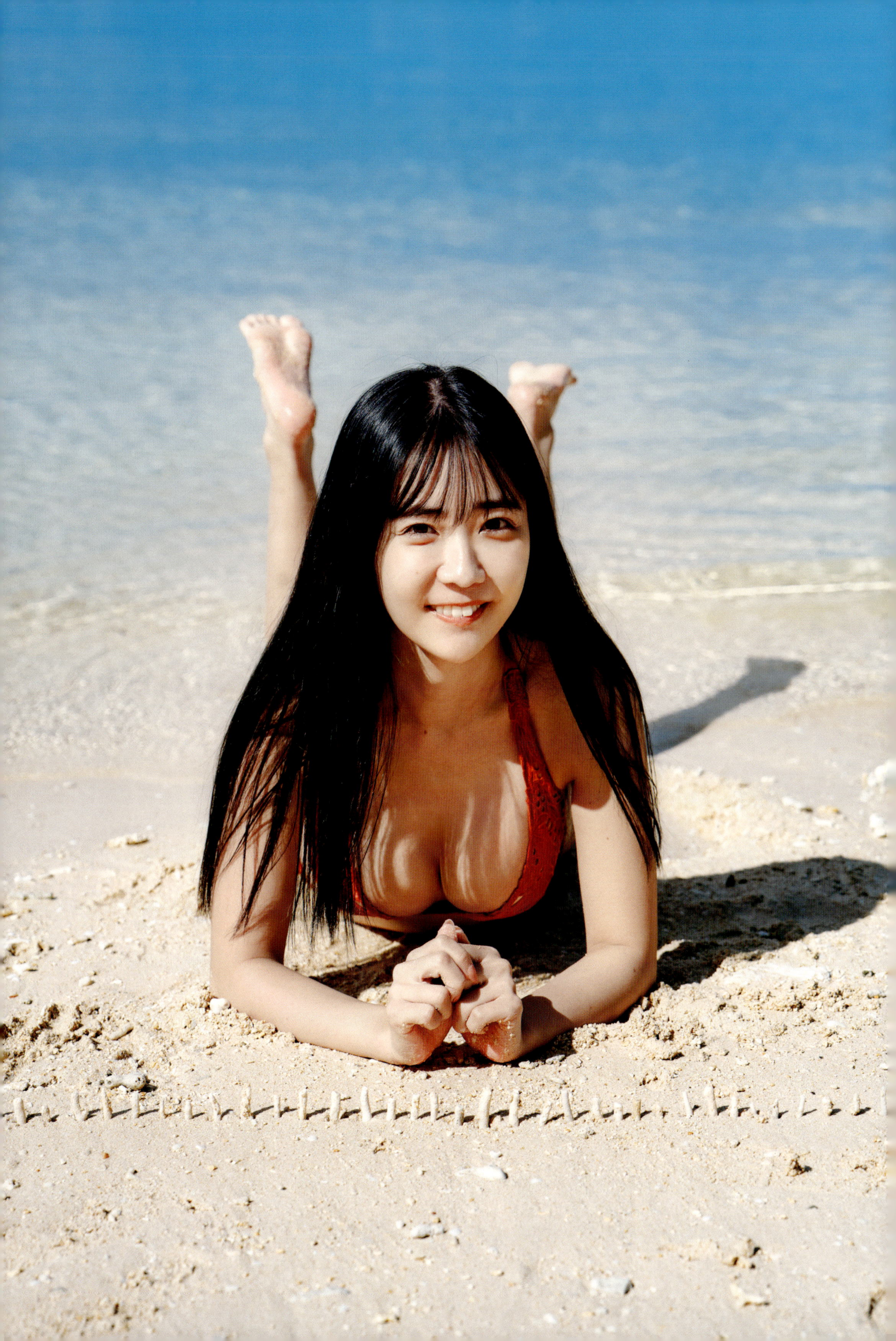

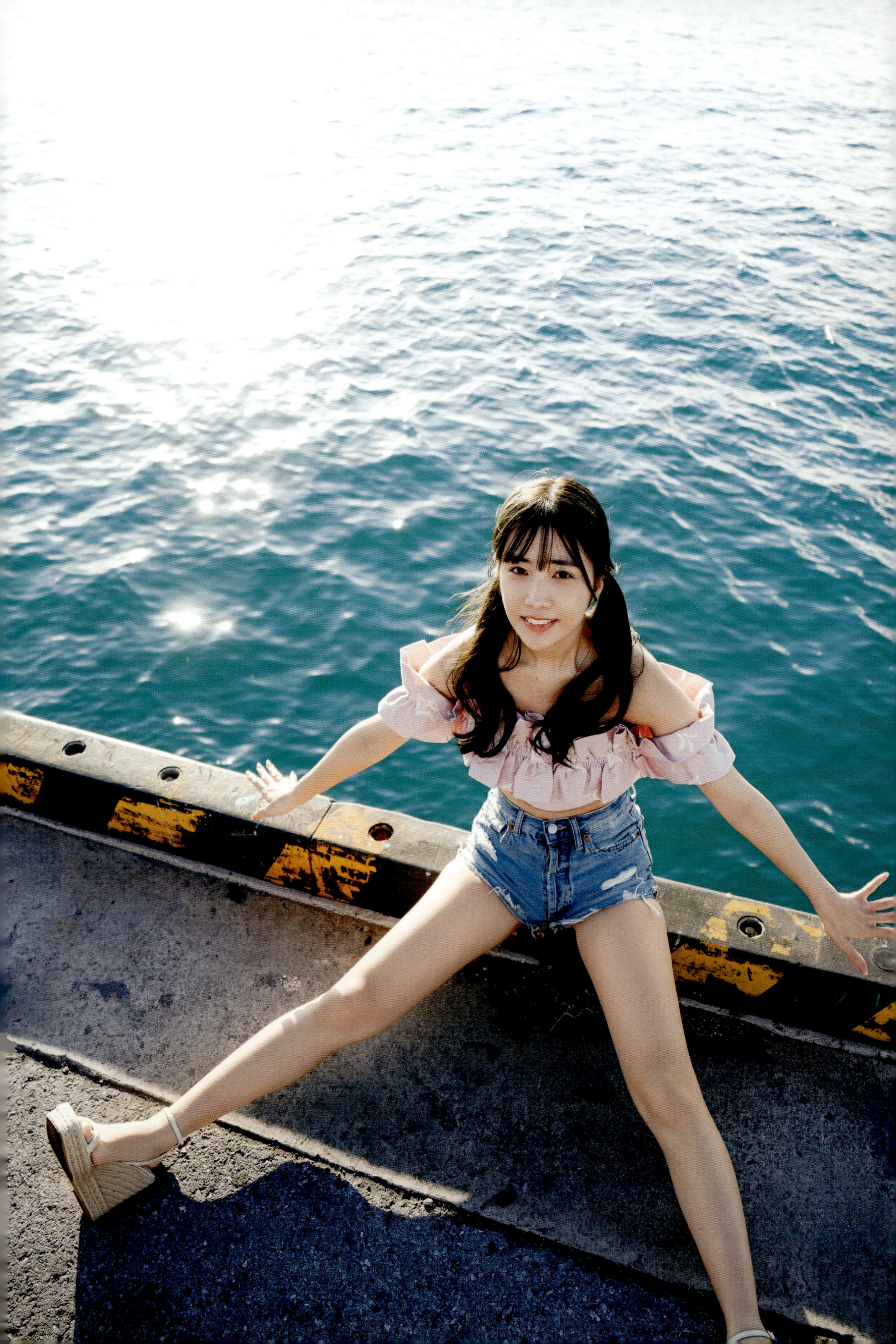

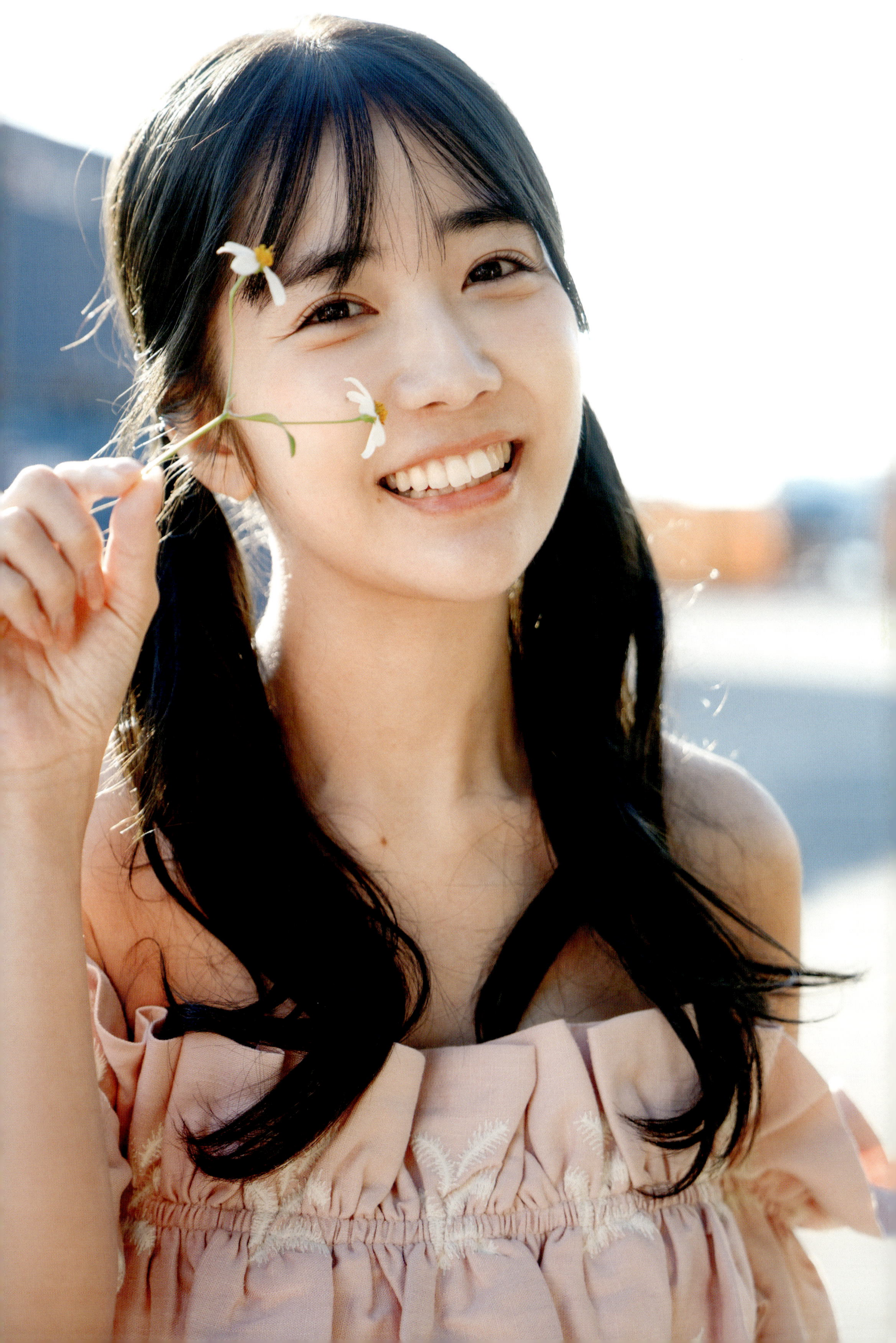

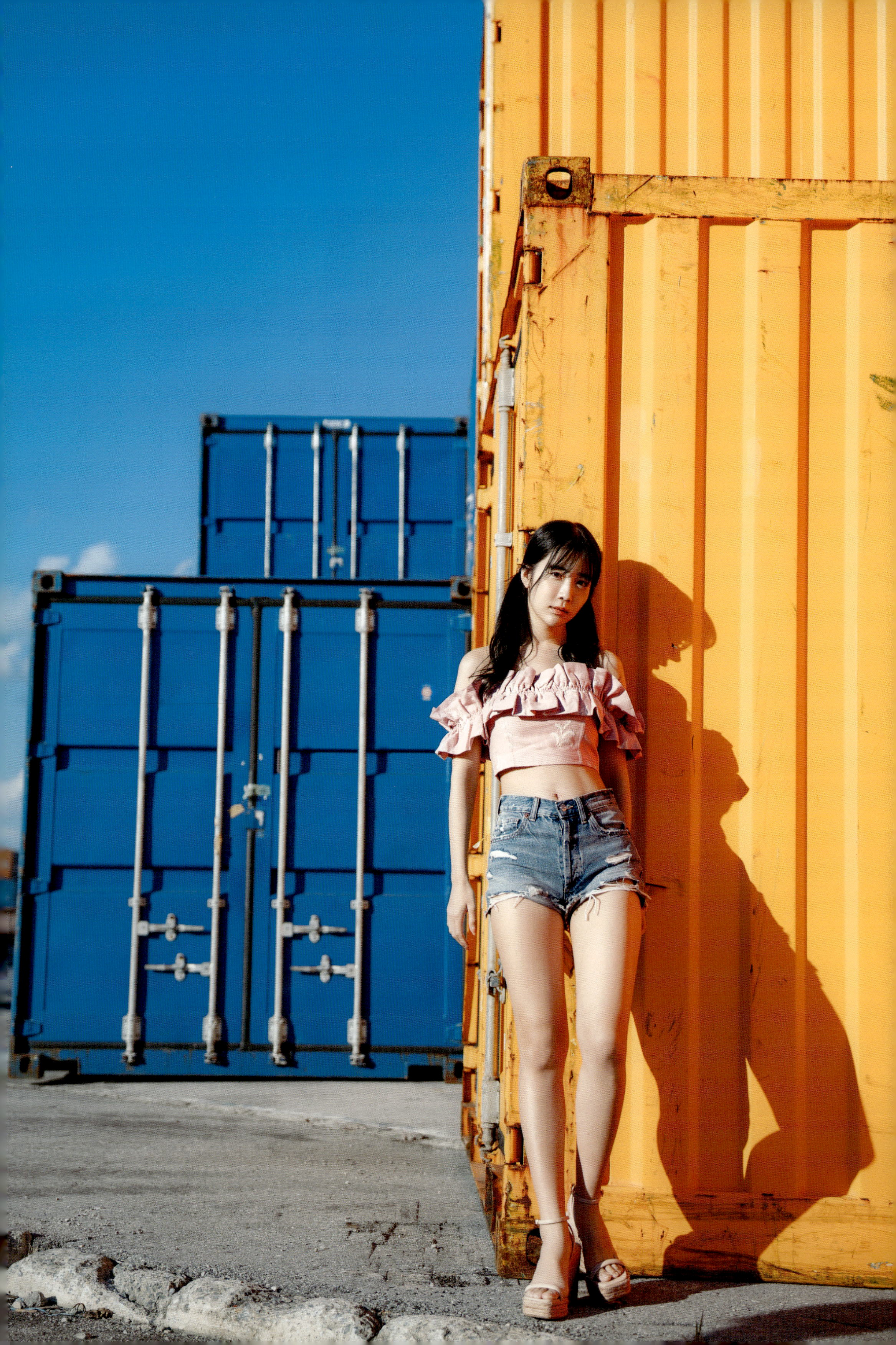

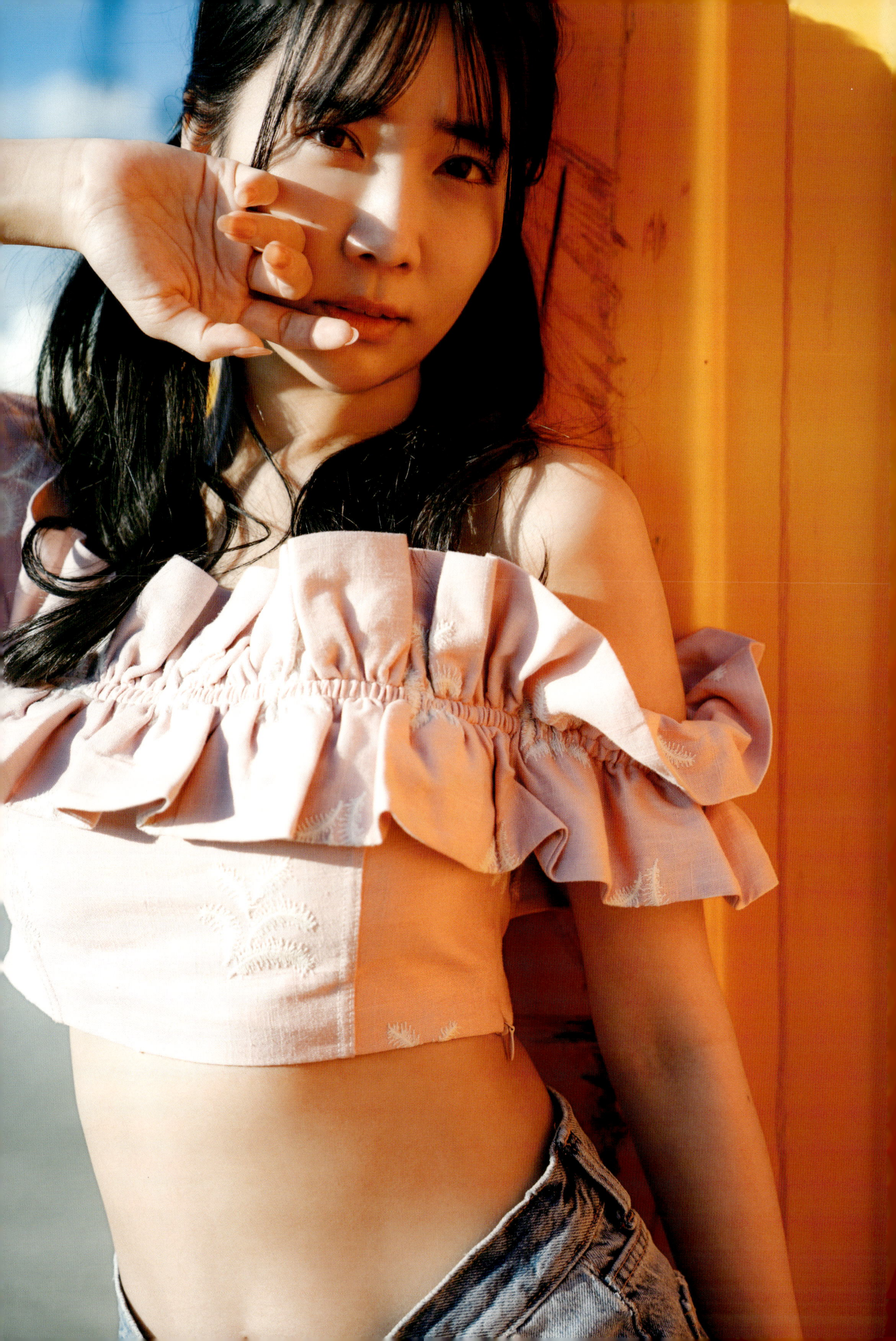

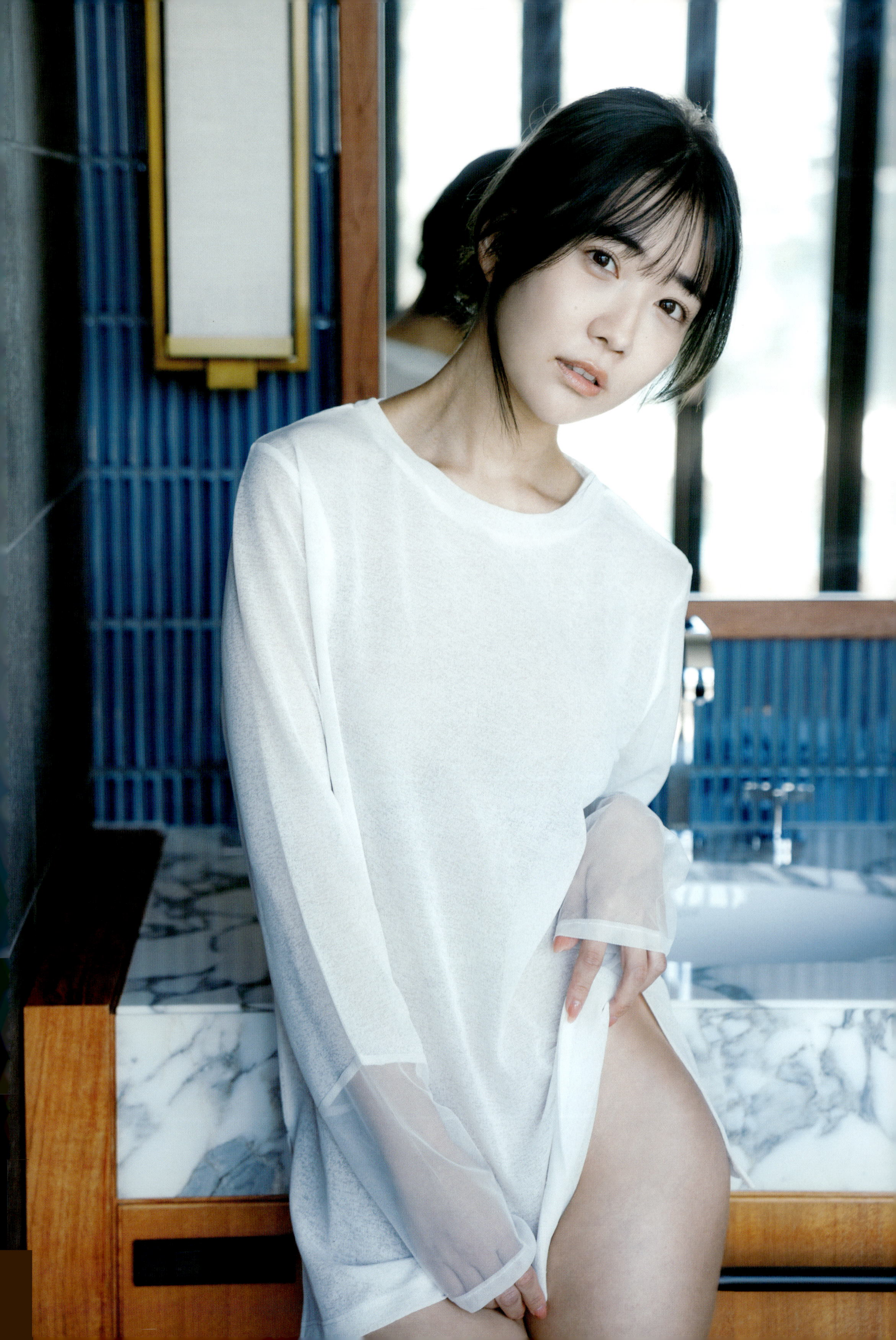

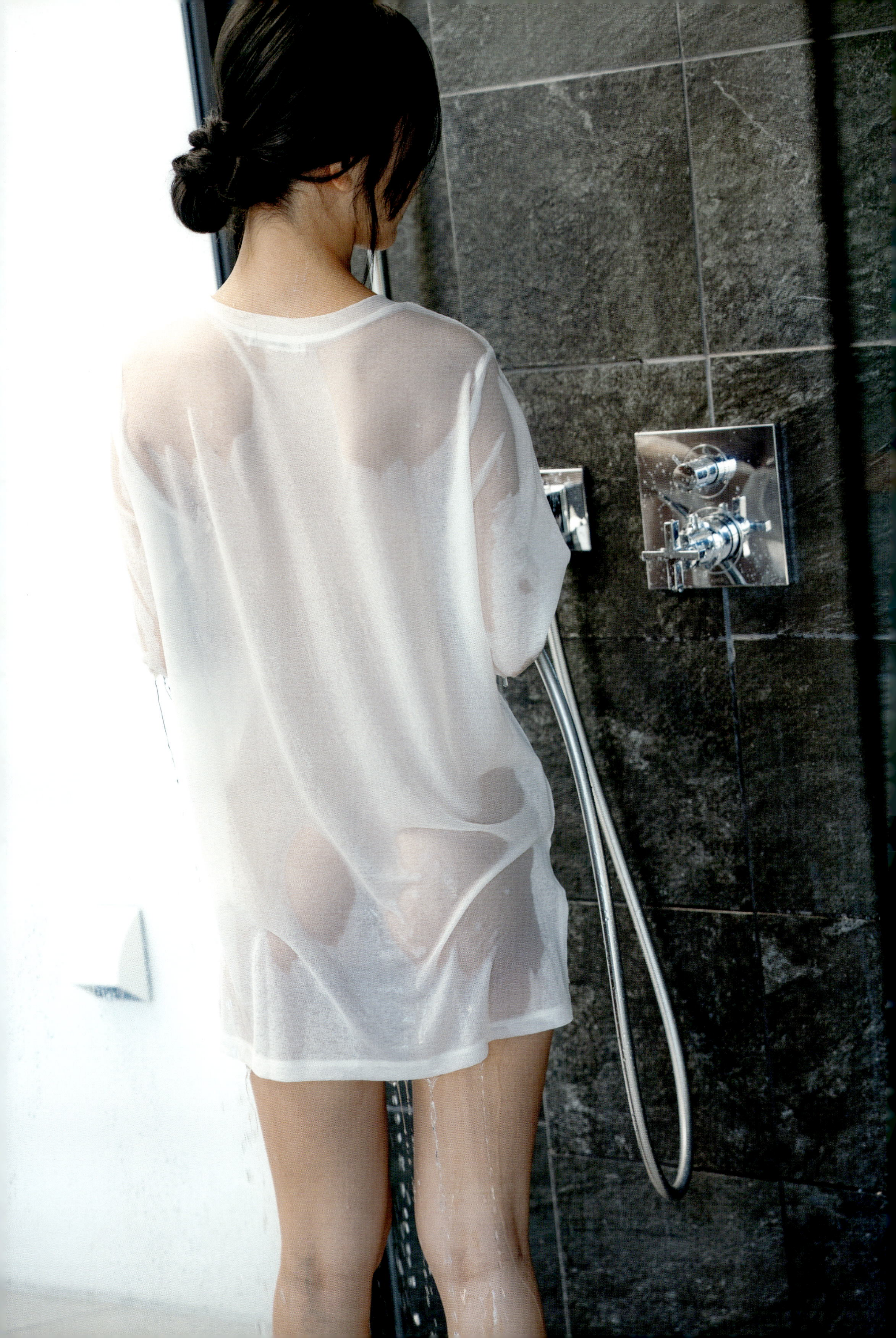

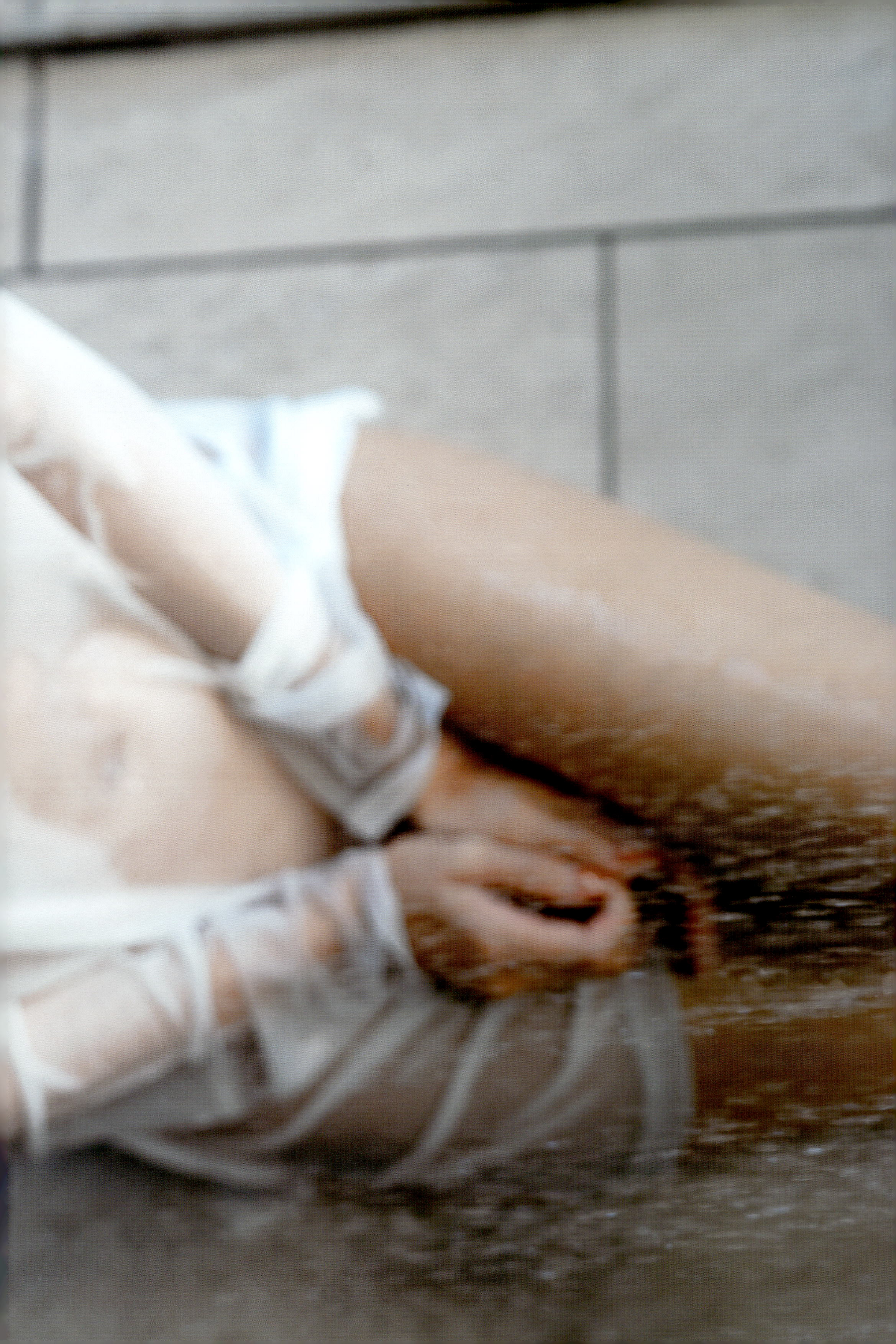

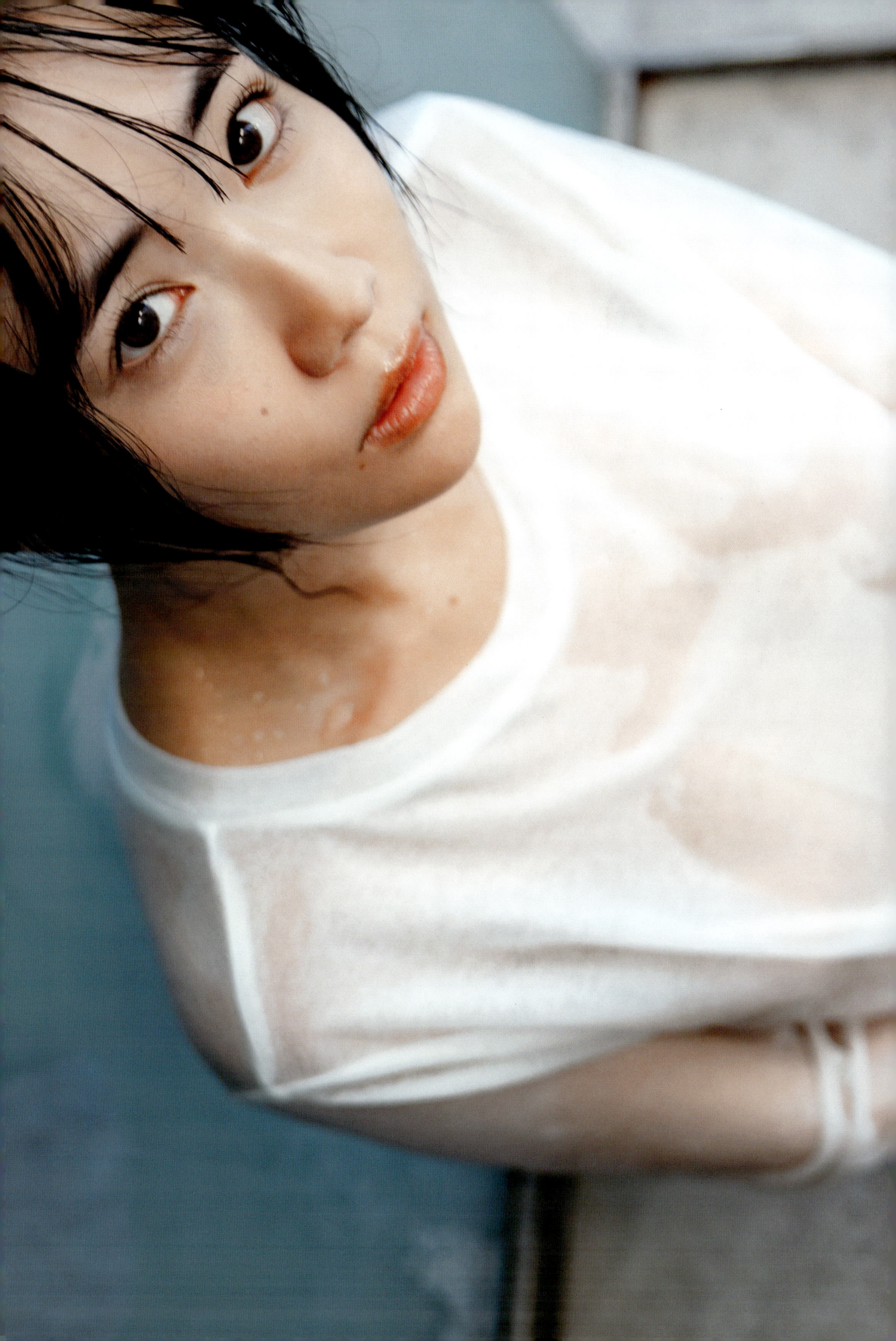

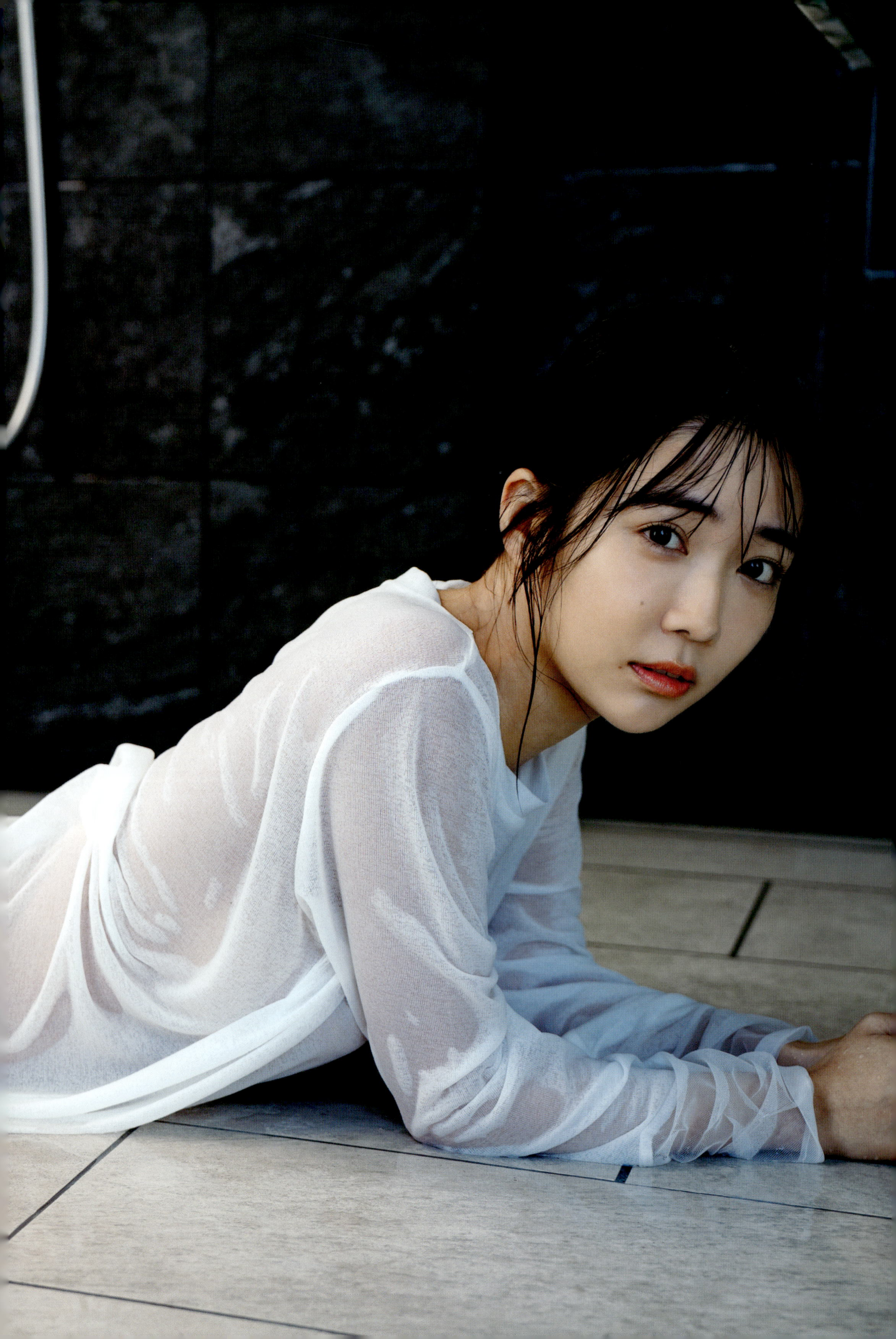

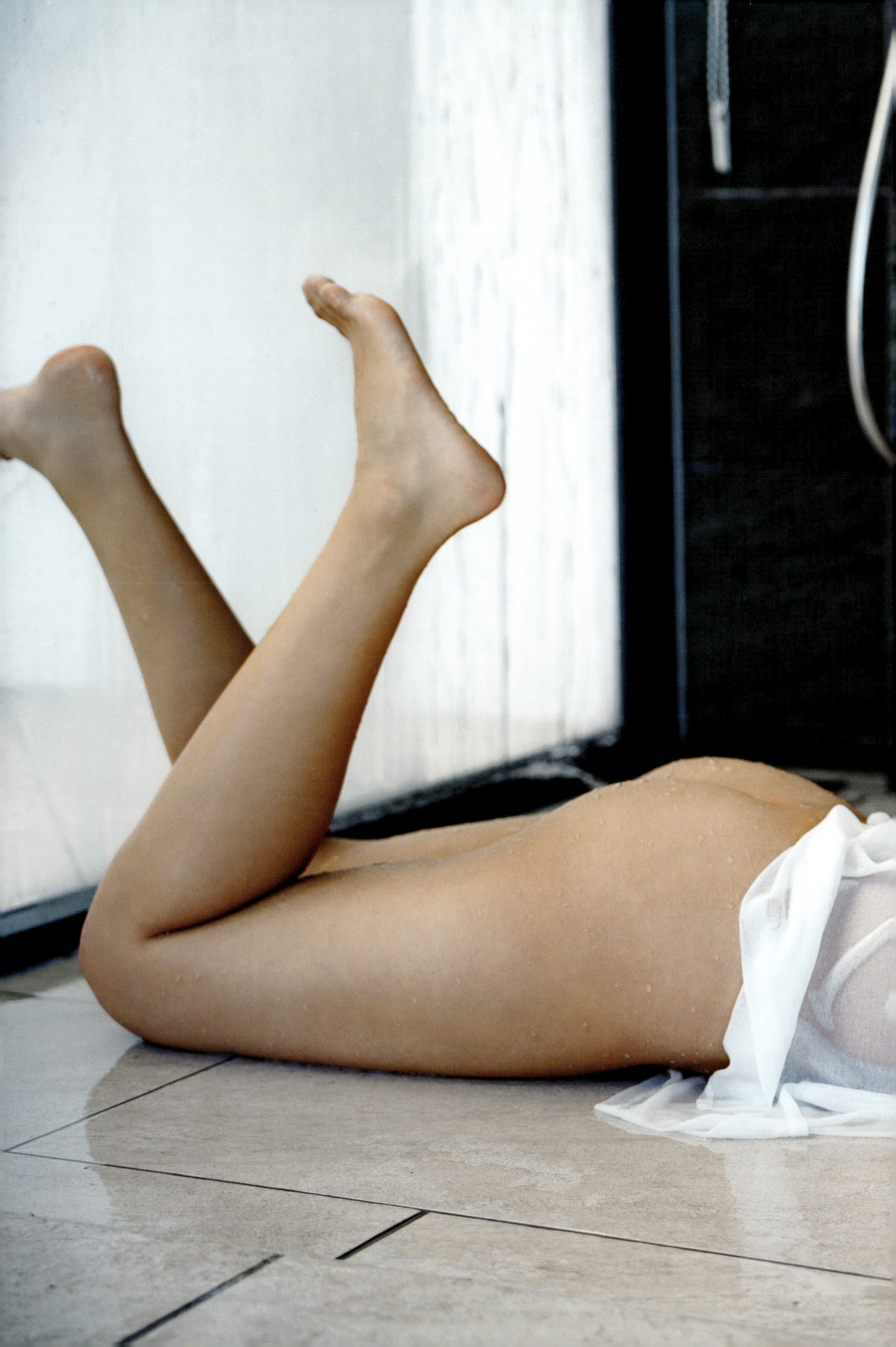

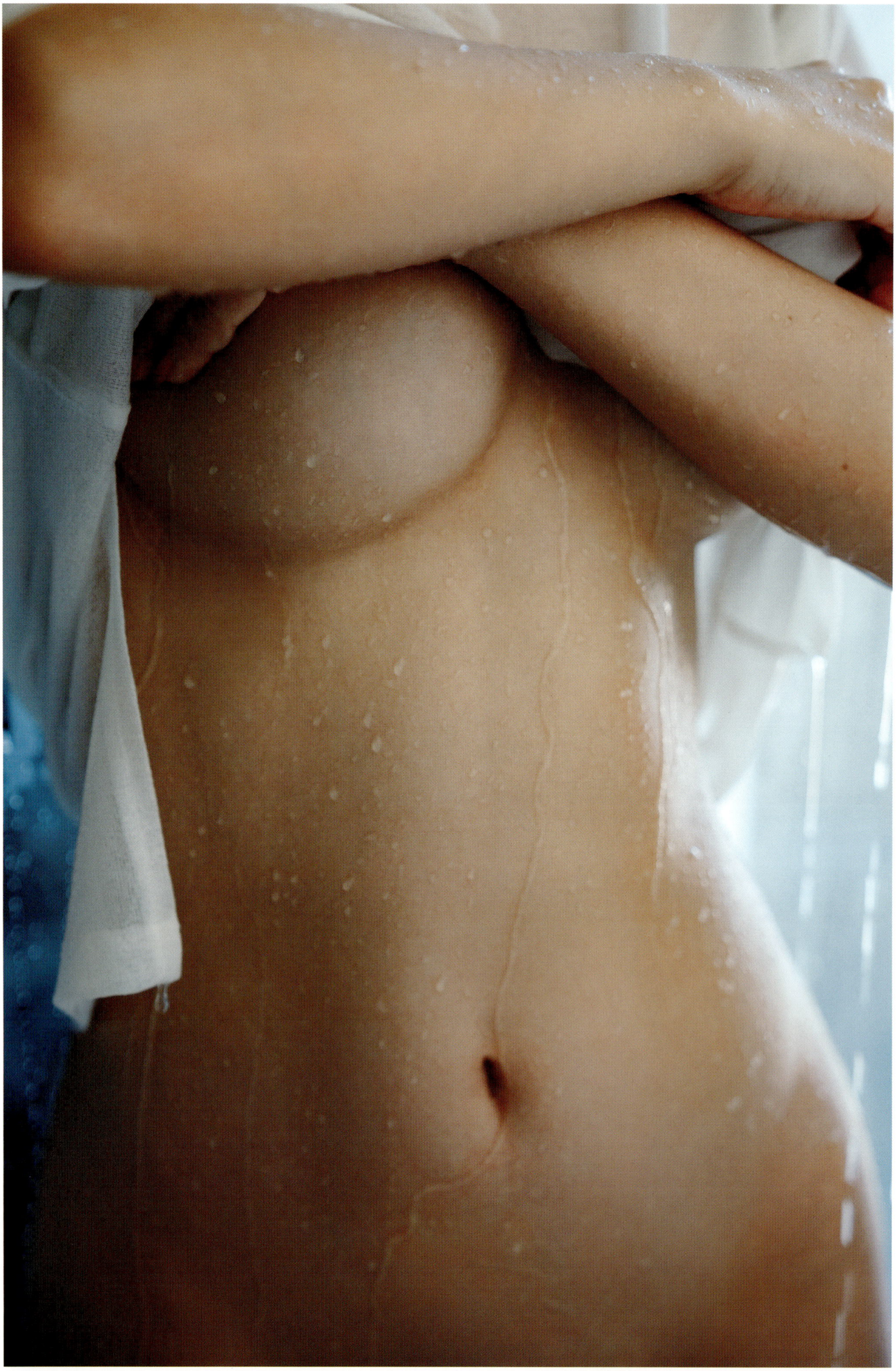

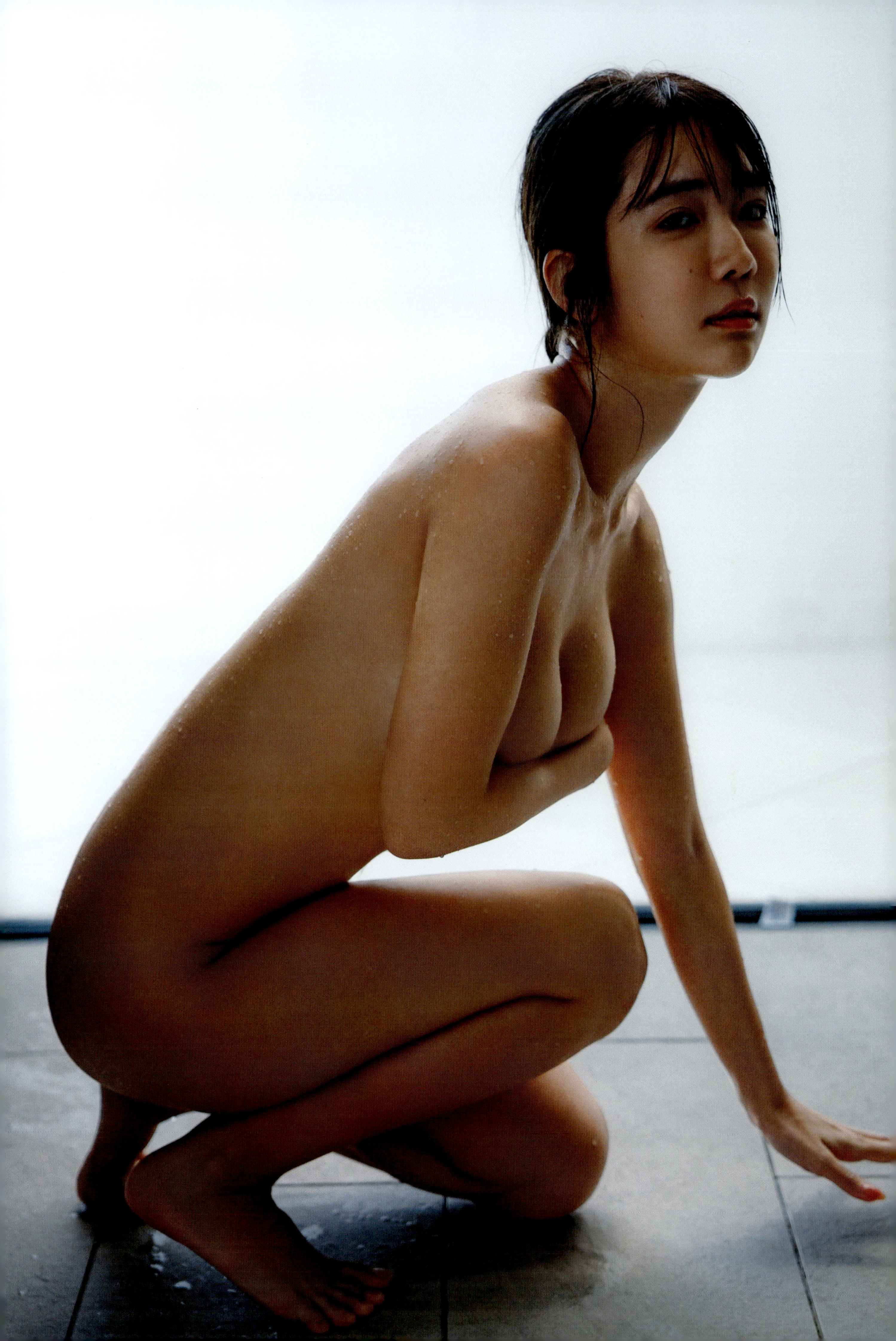

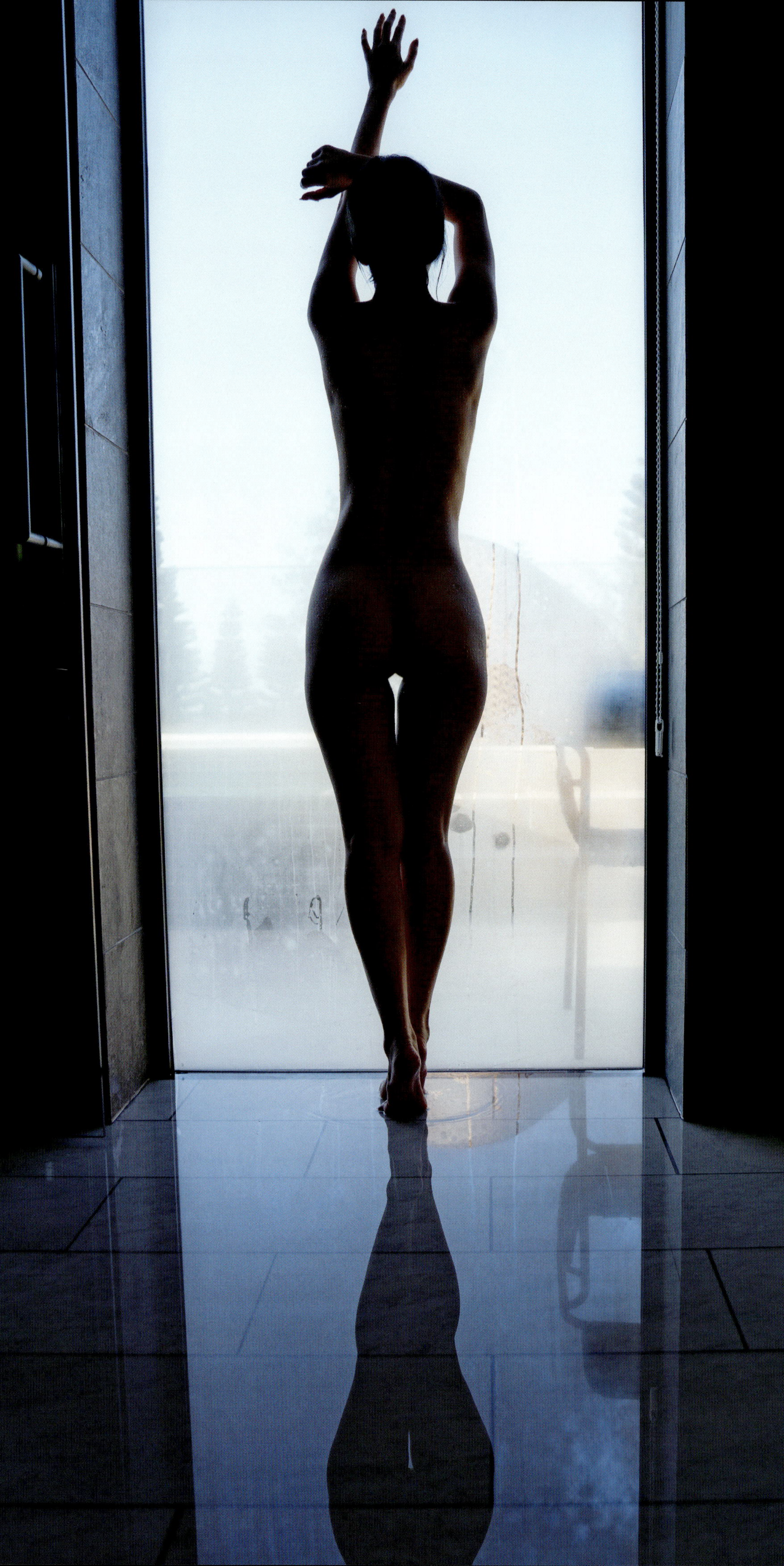

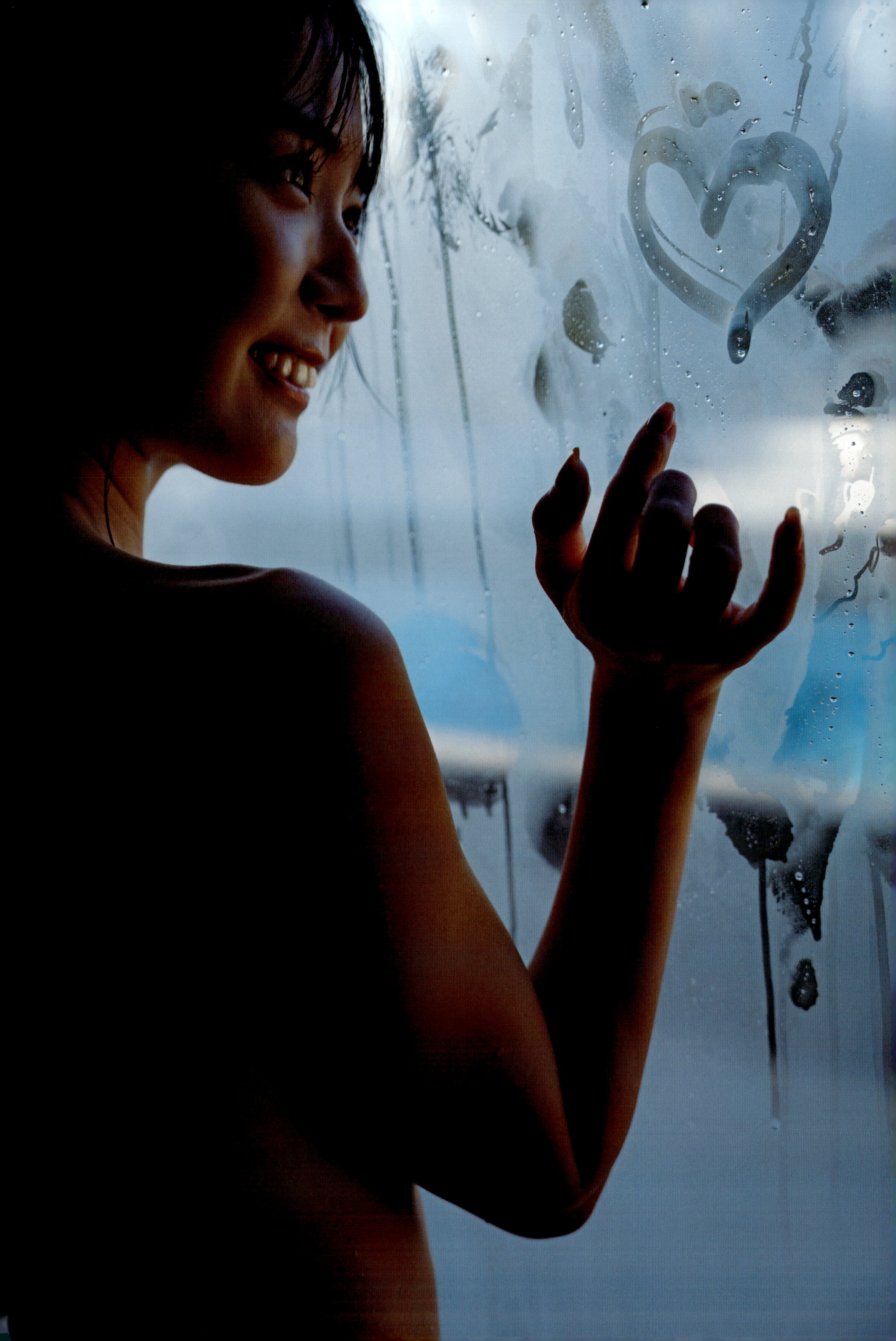

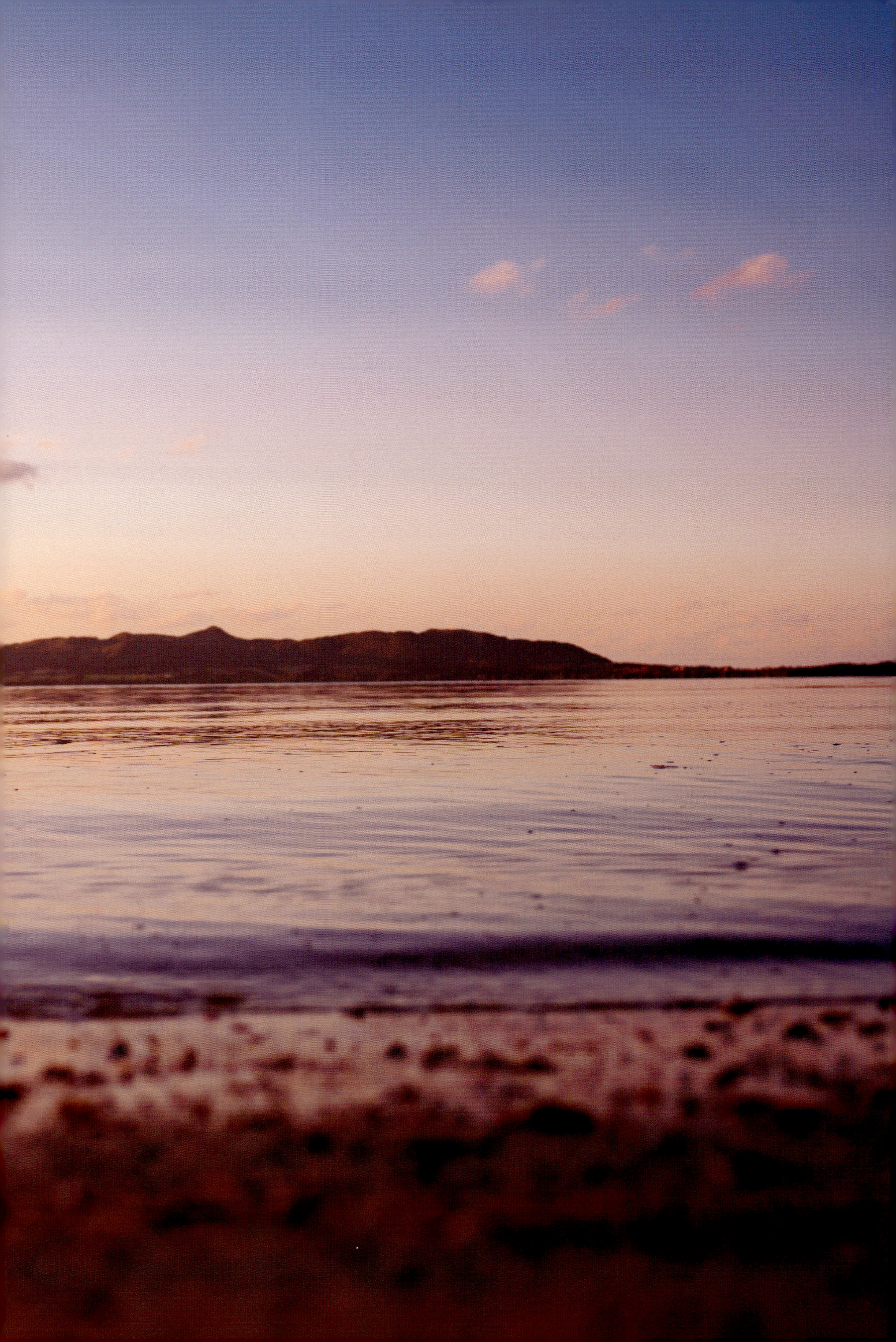

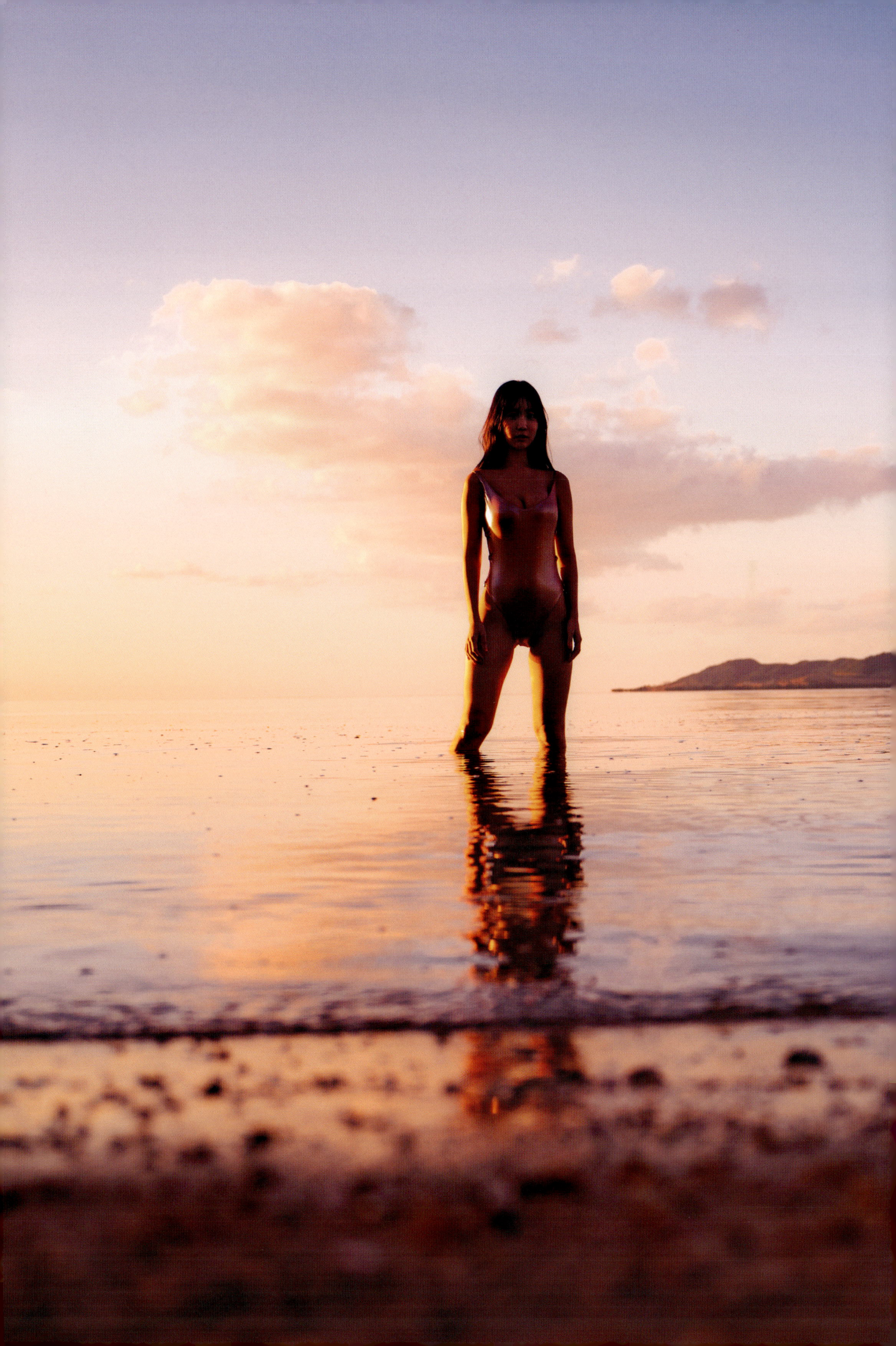

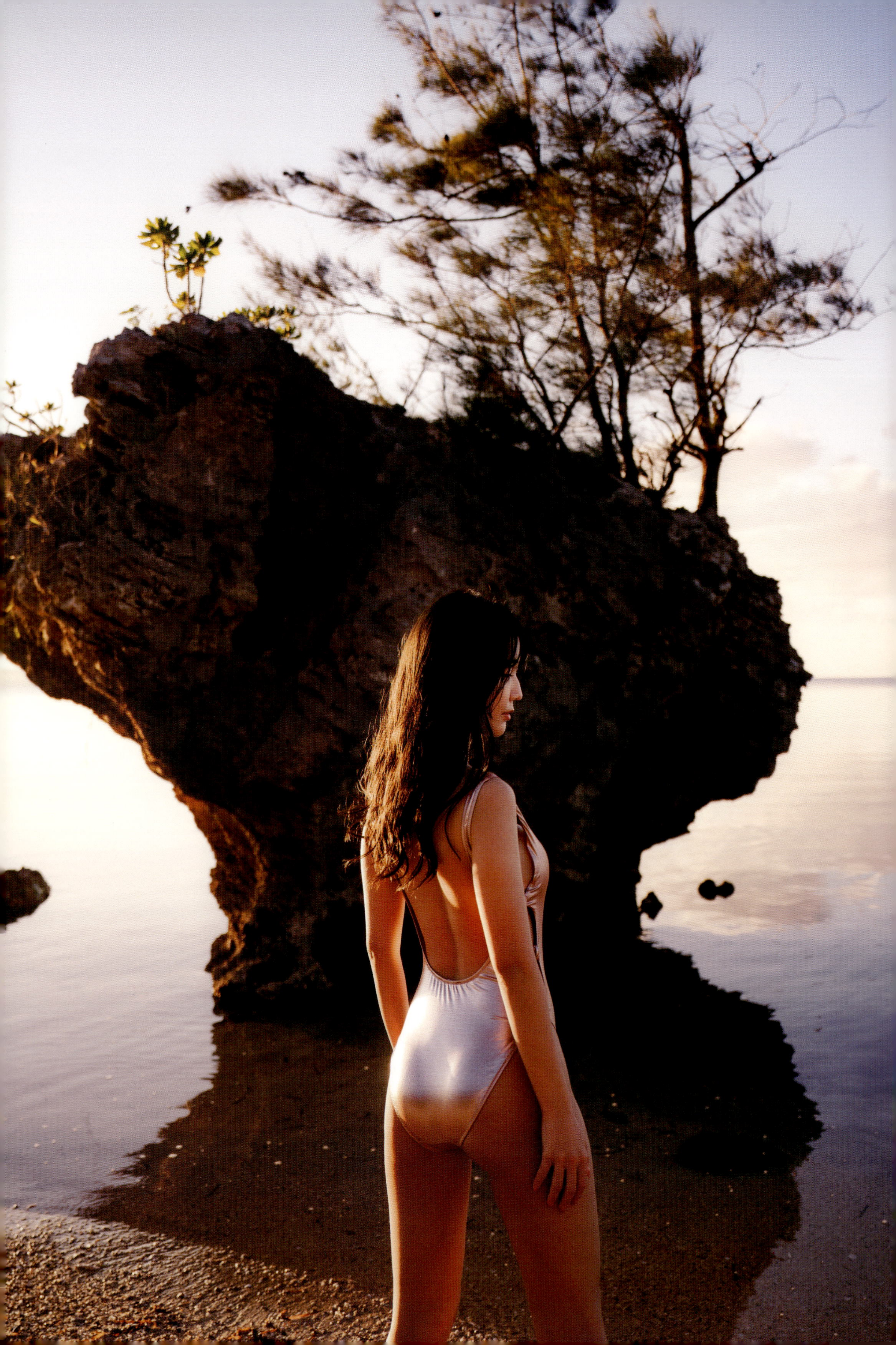

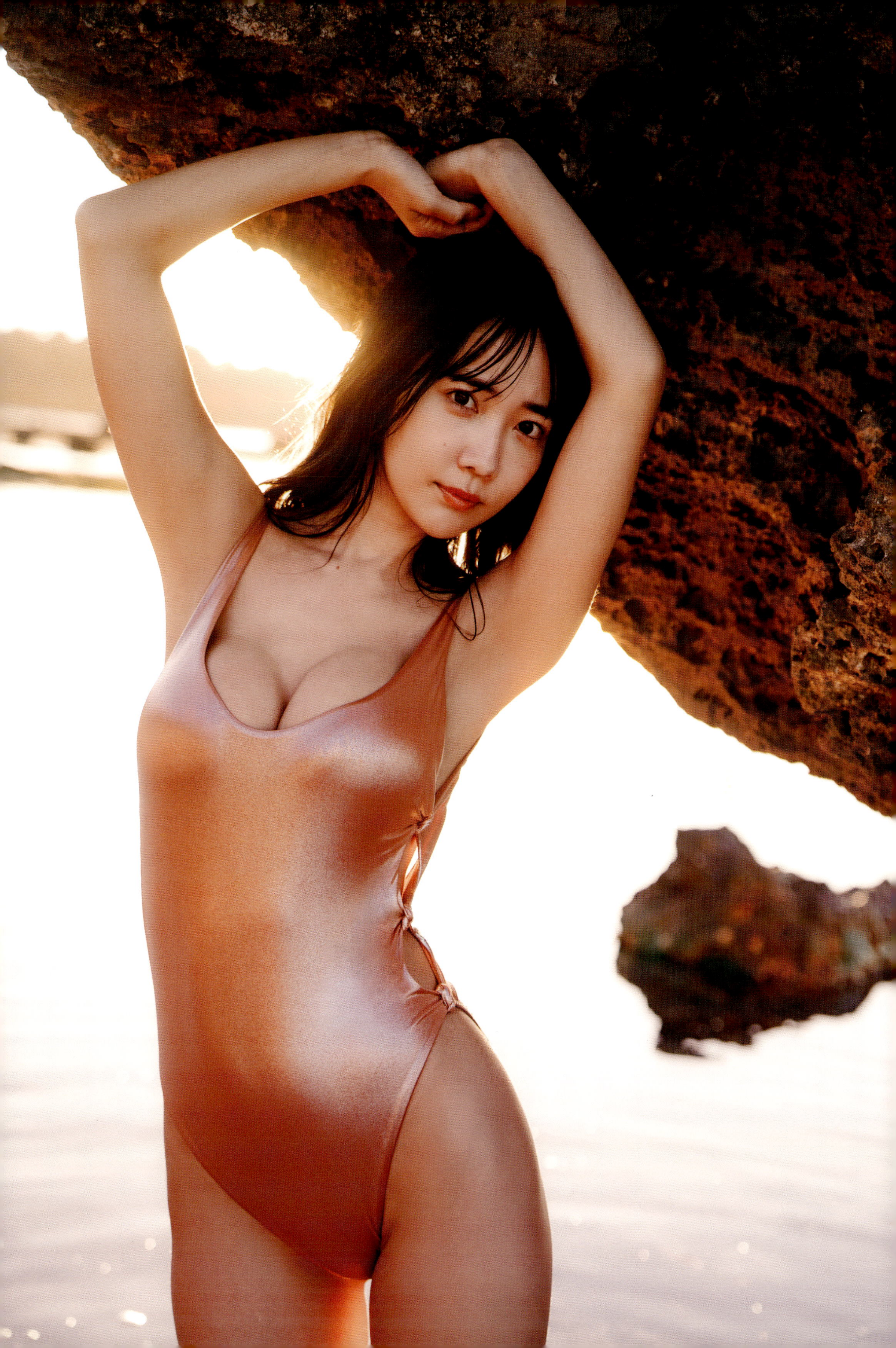

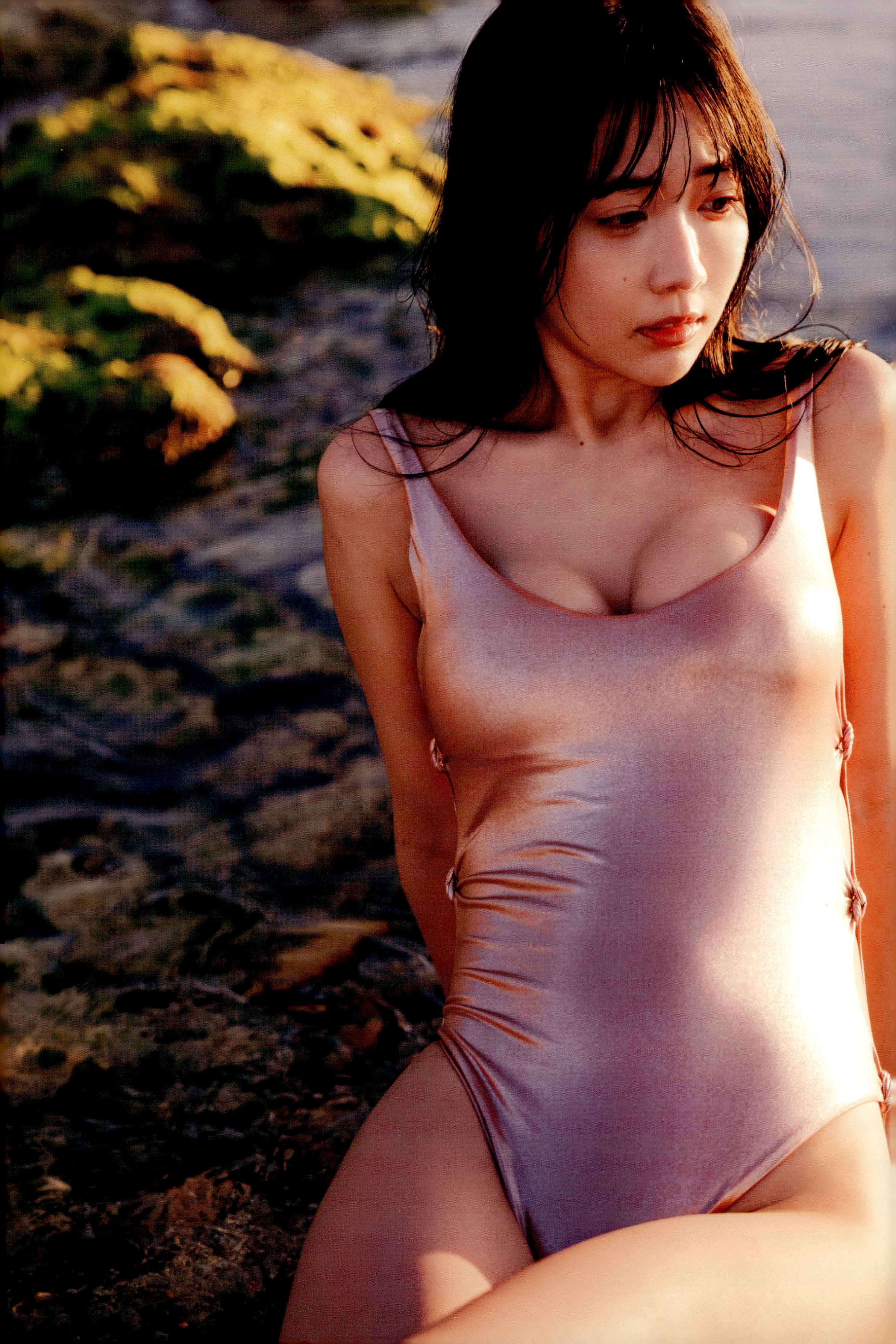

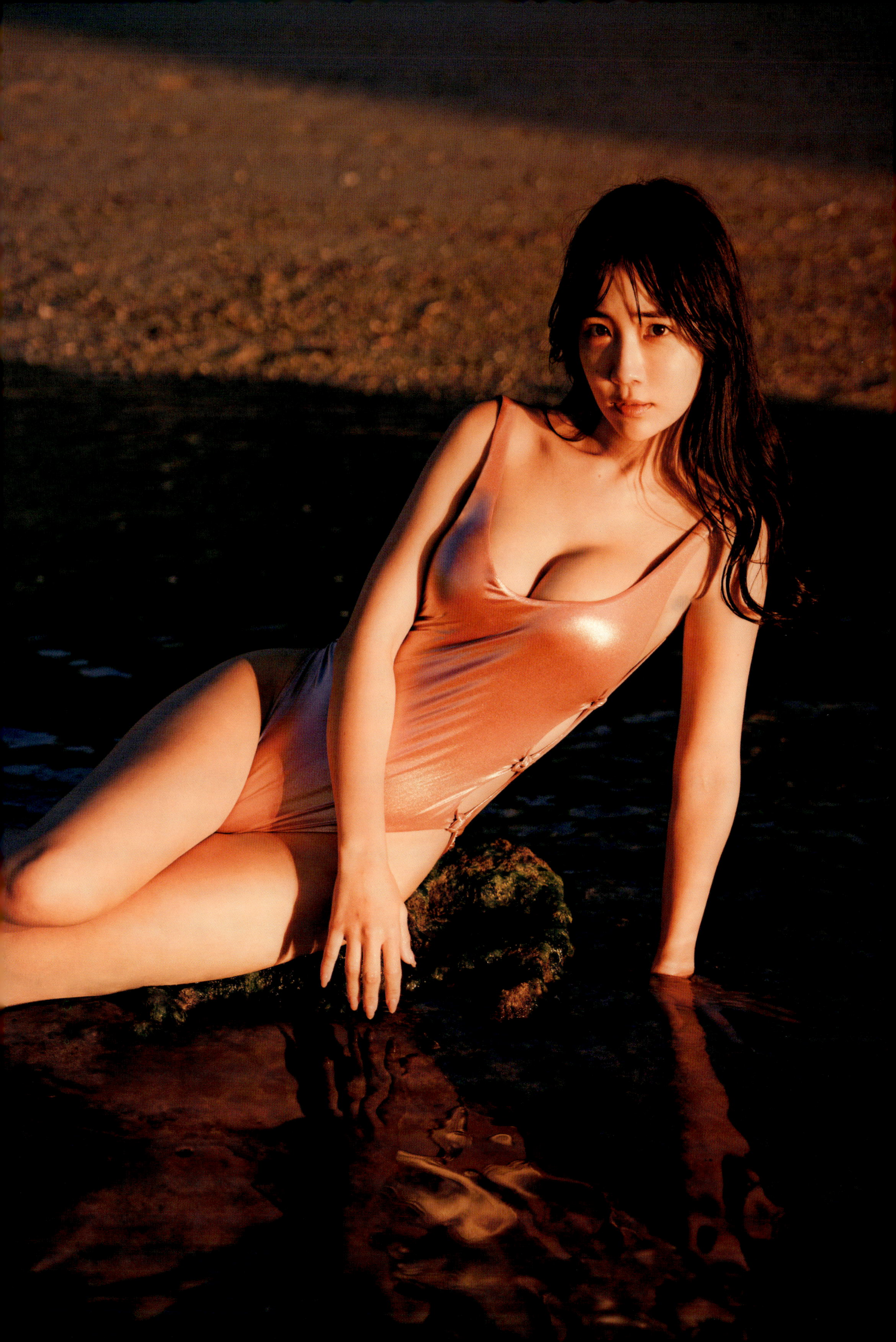

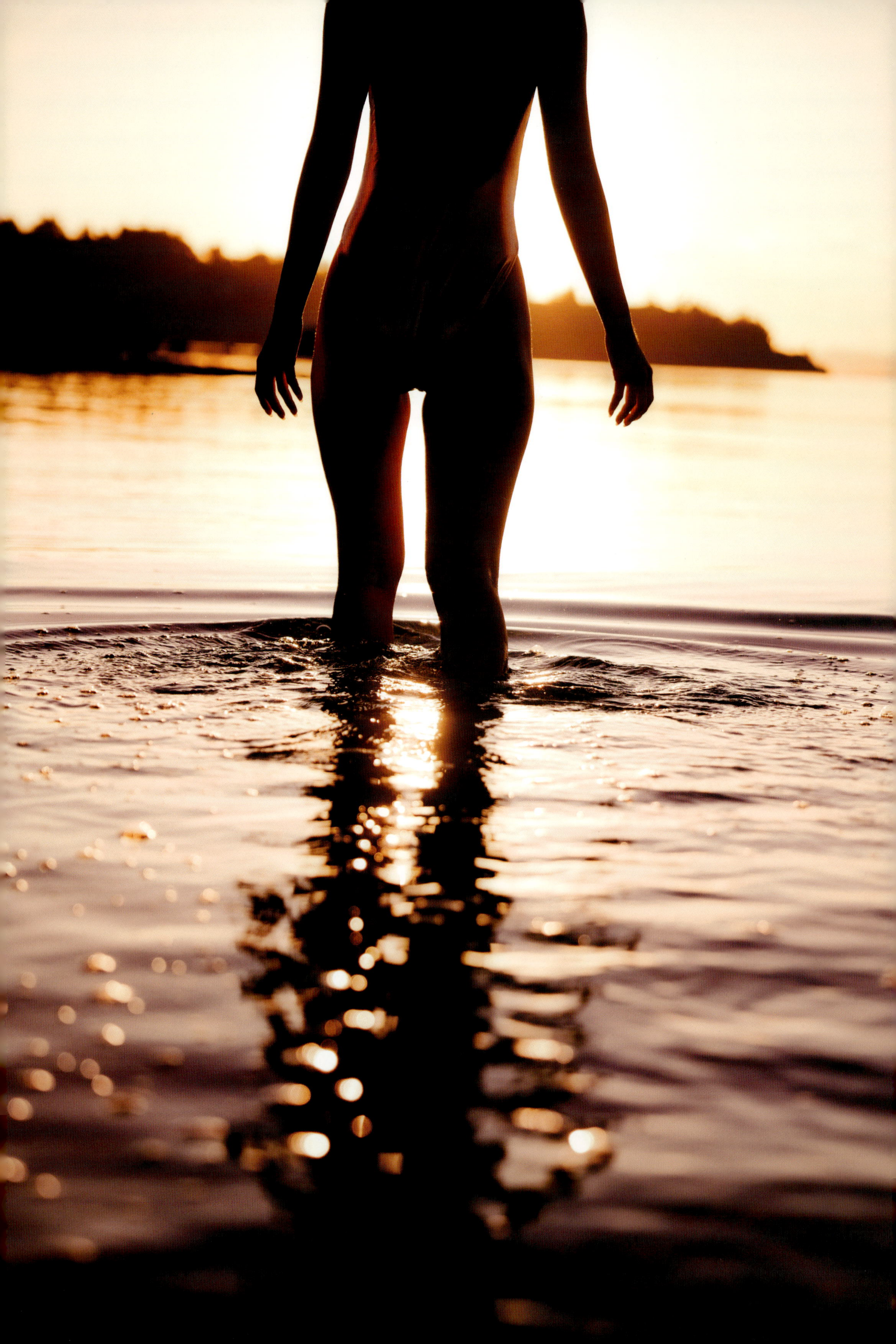

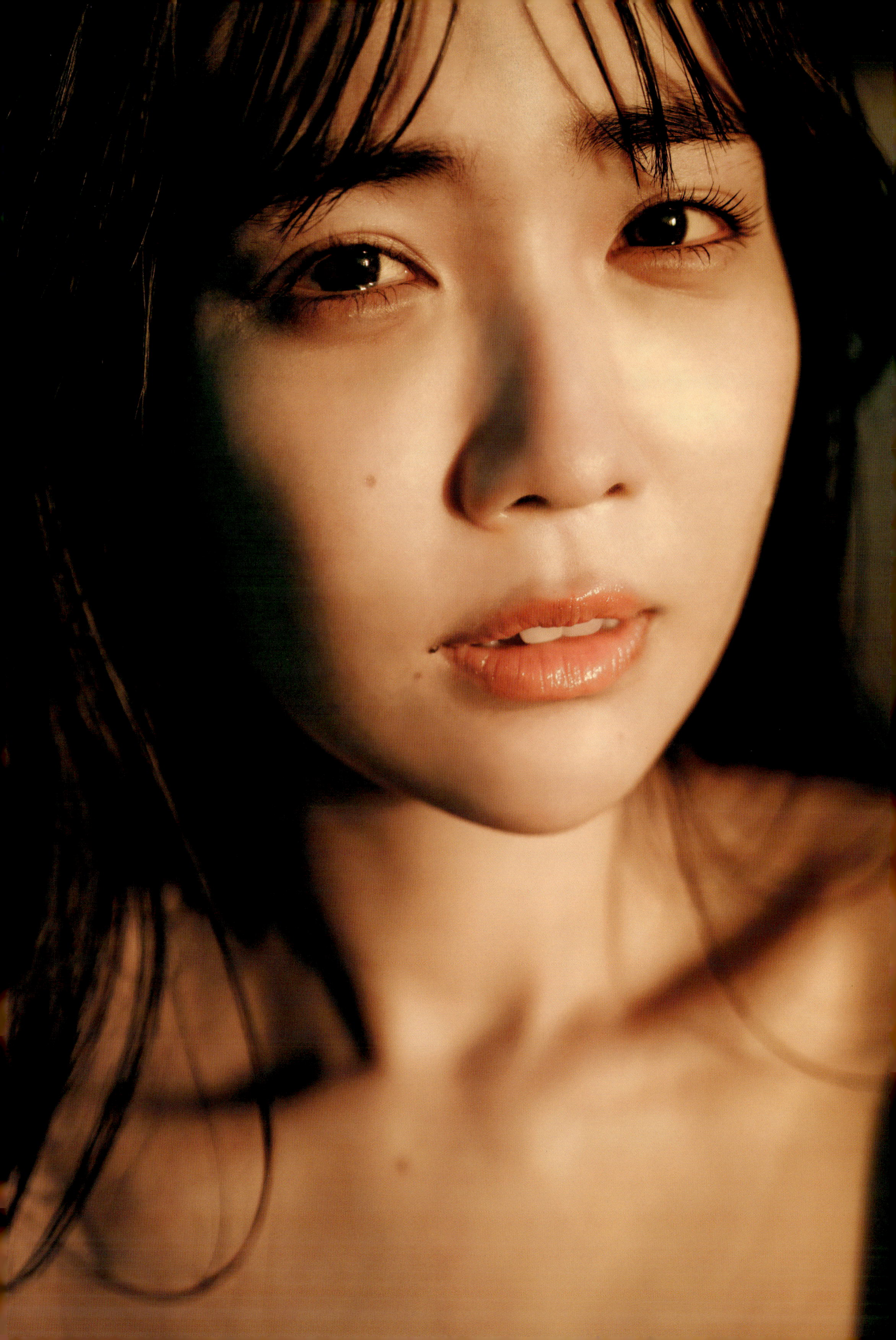

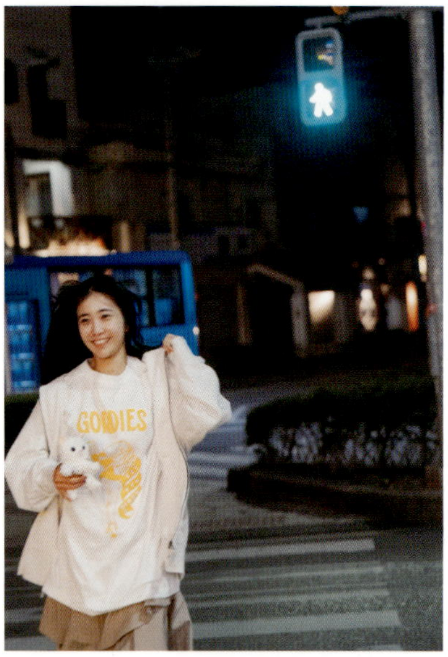
GOODIES
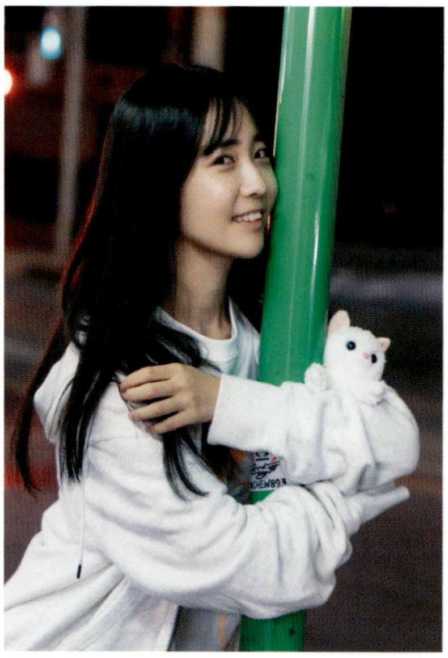
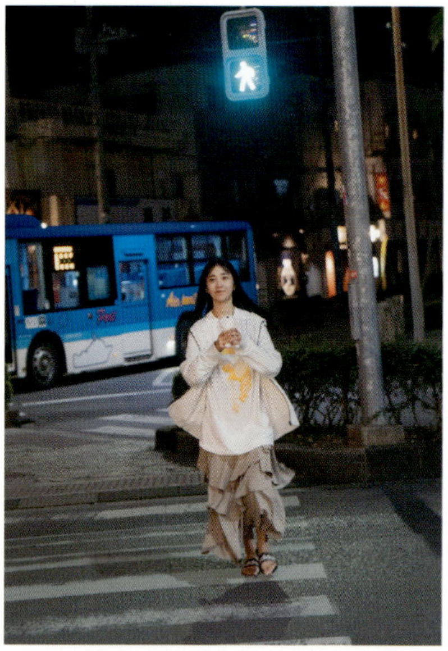
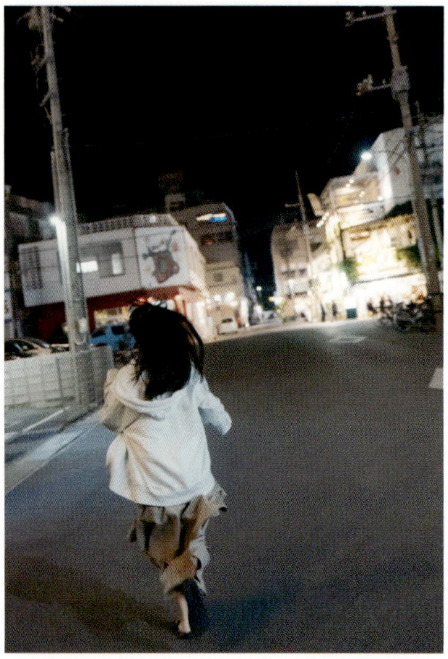
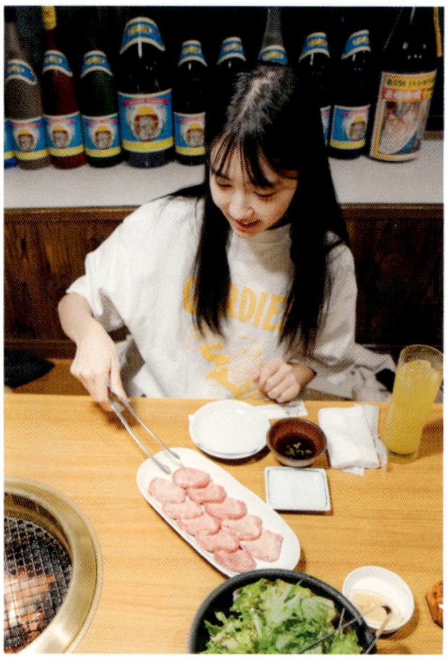
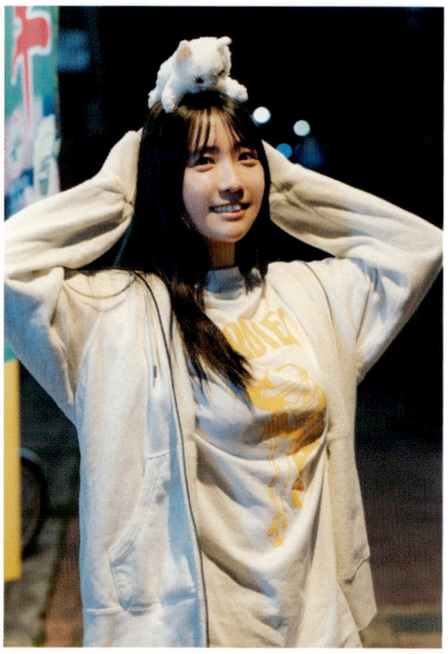
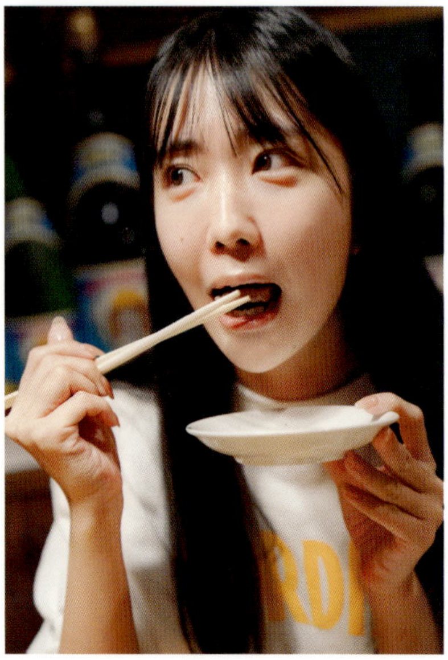
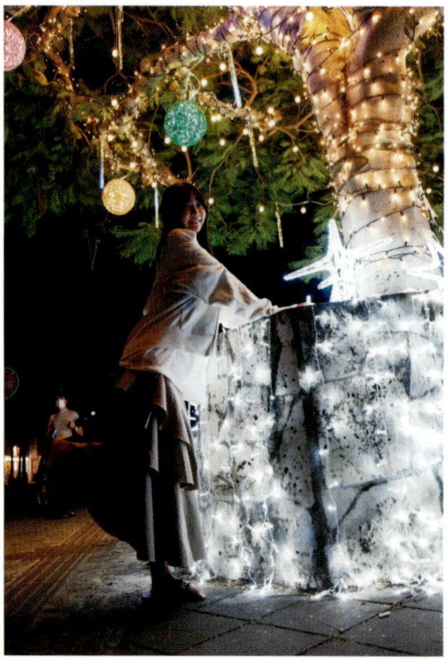
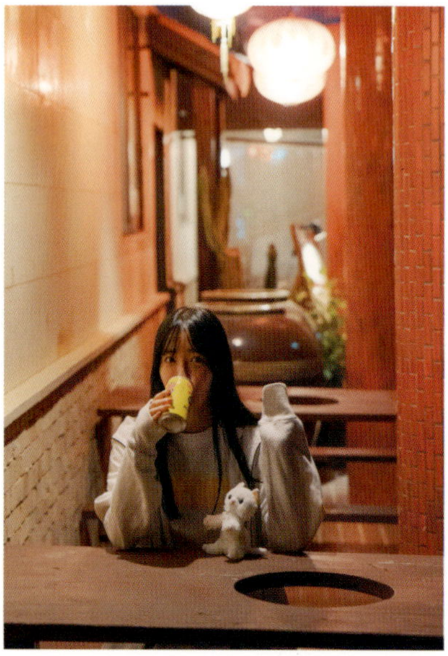

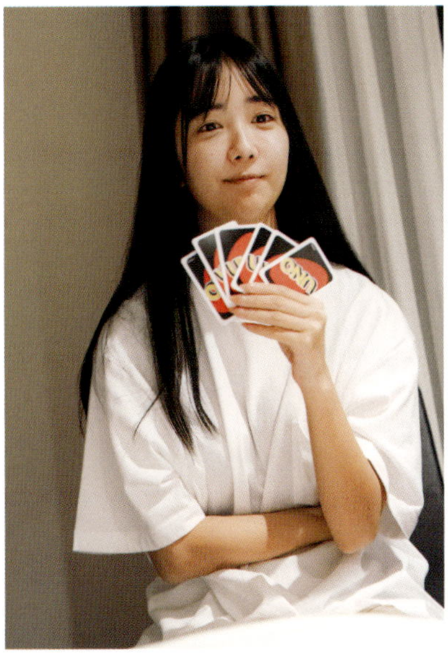
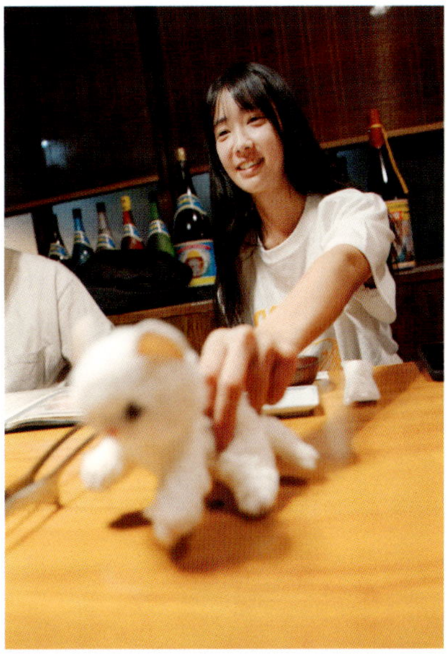
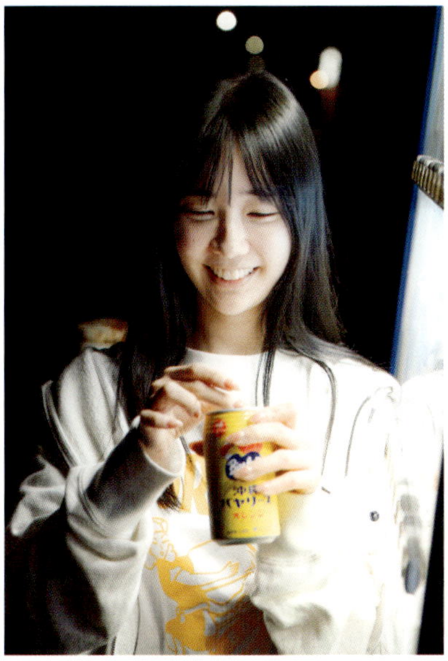
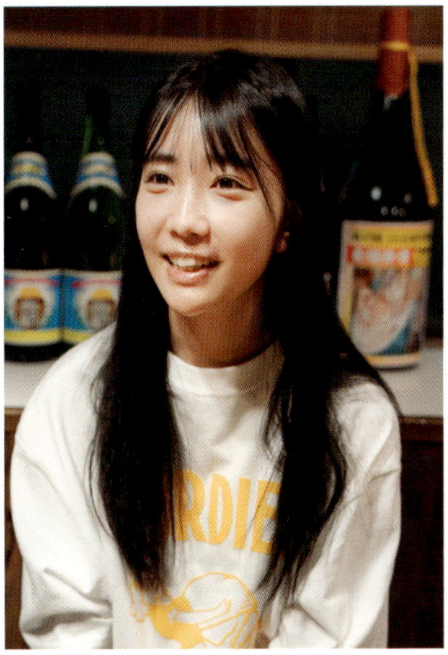
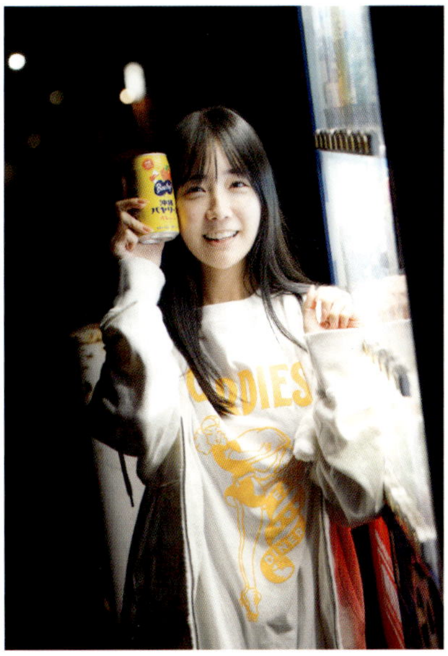
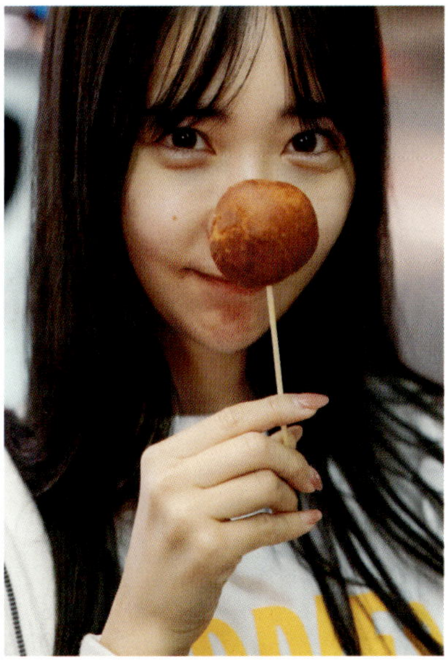
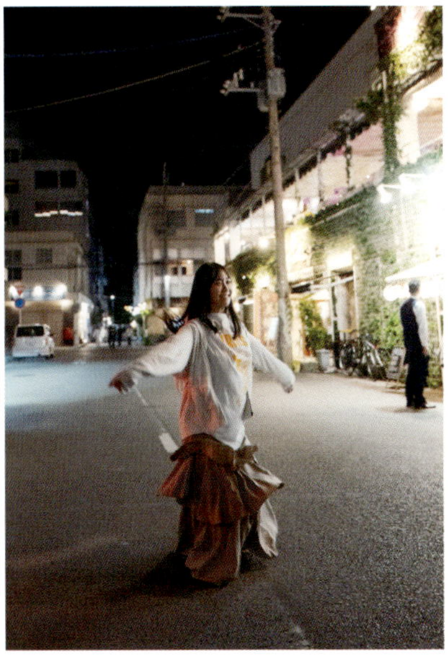
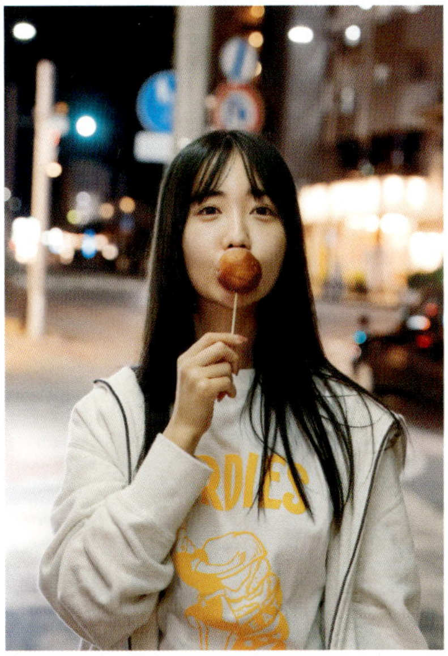
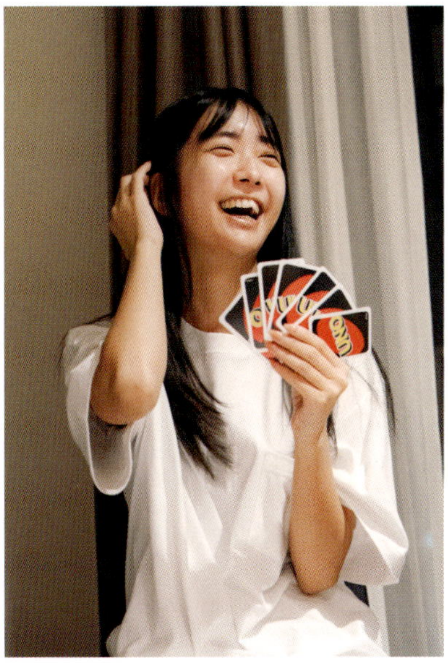

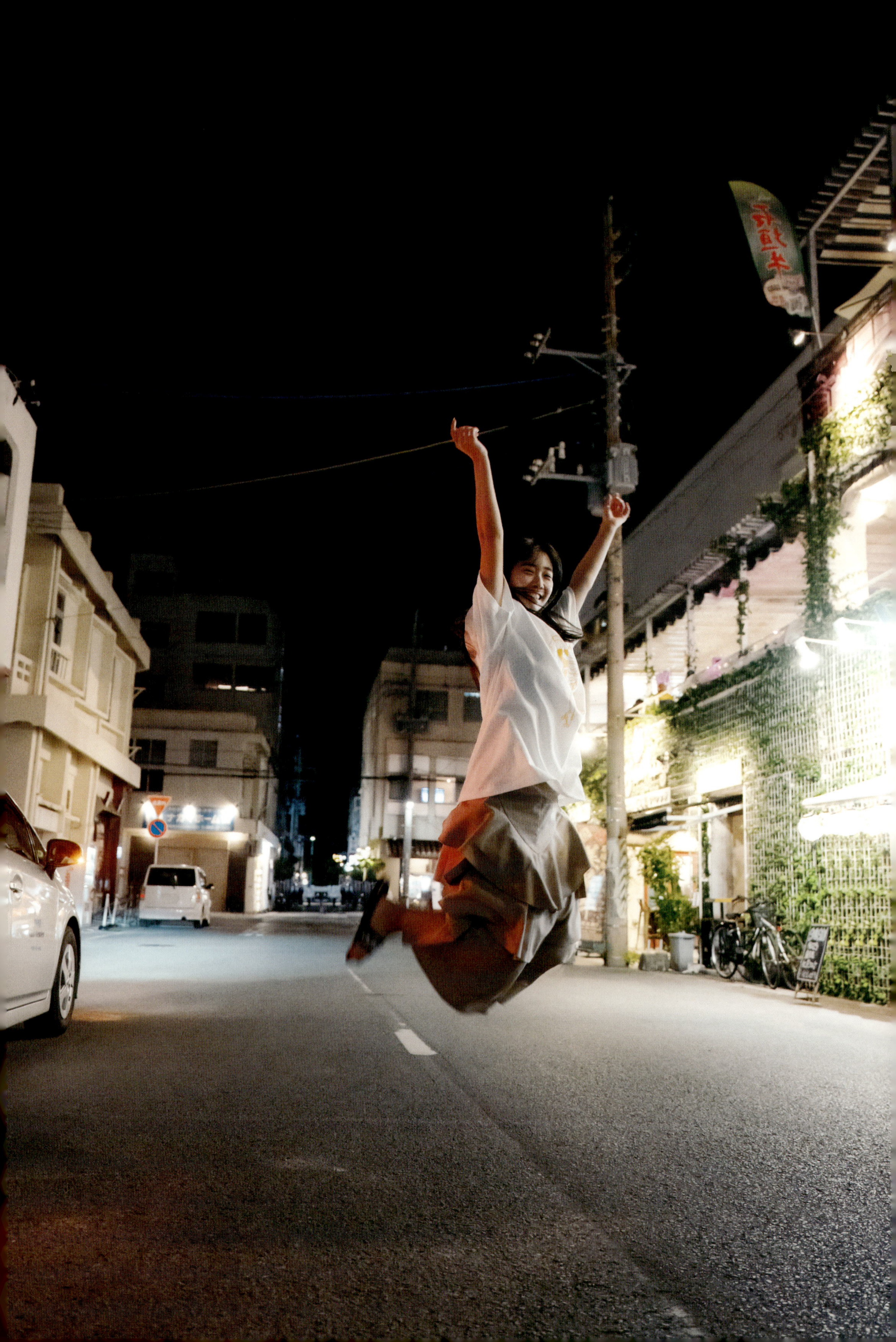

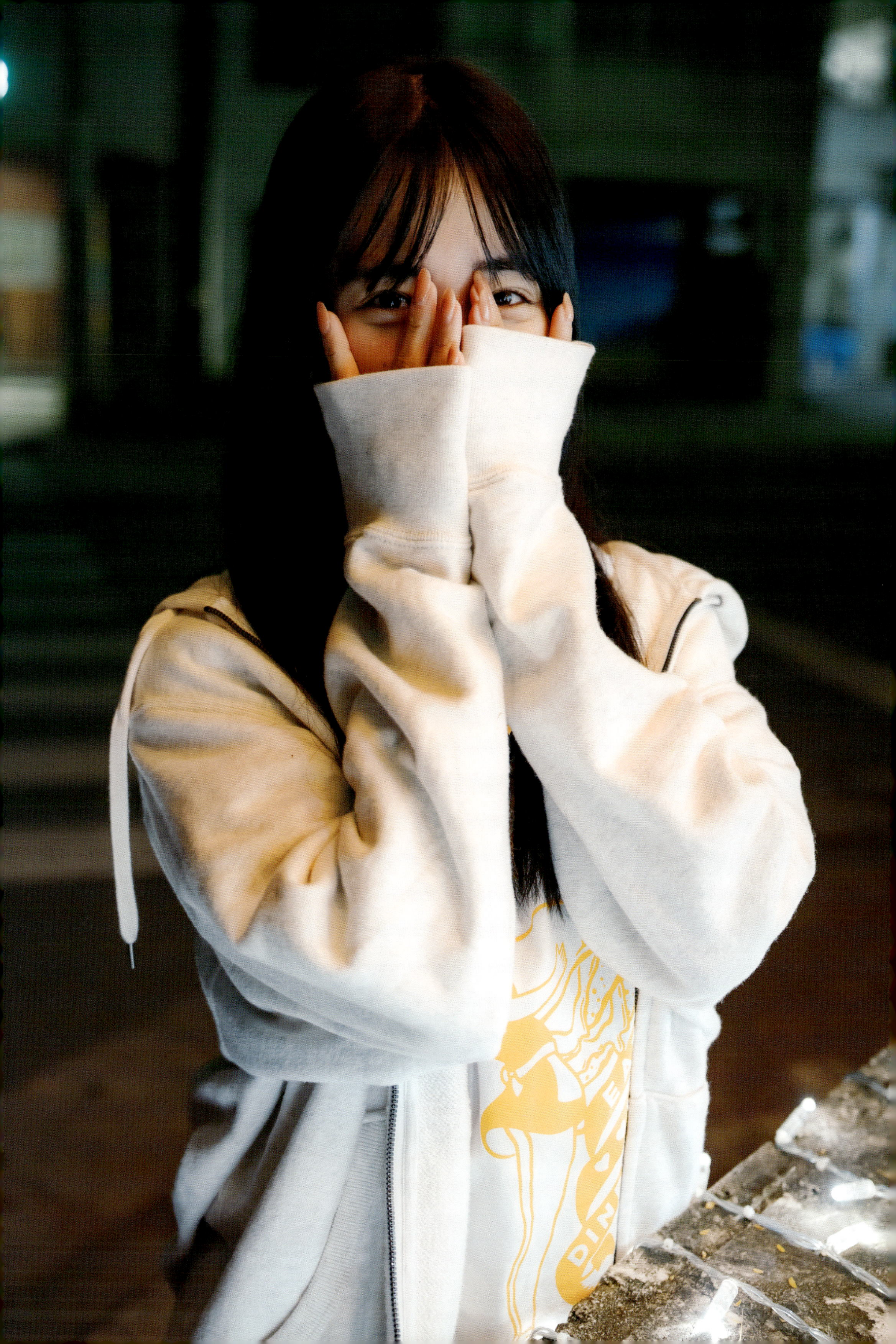

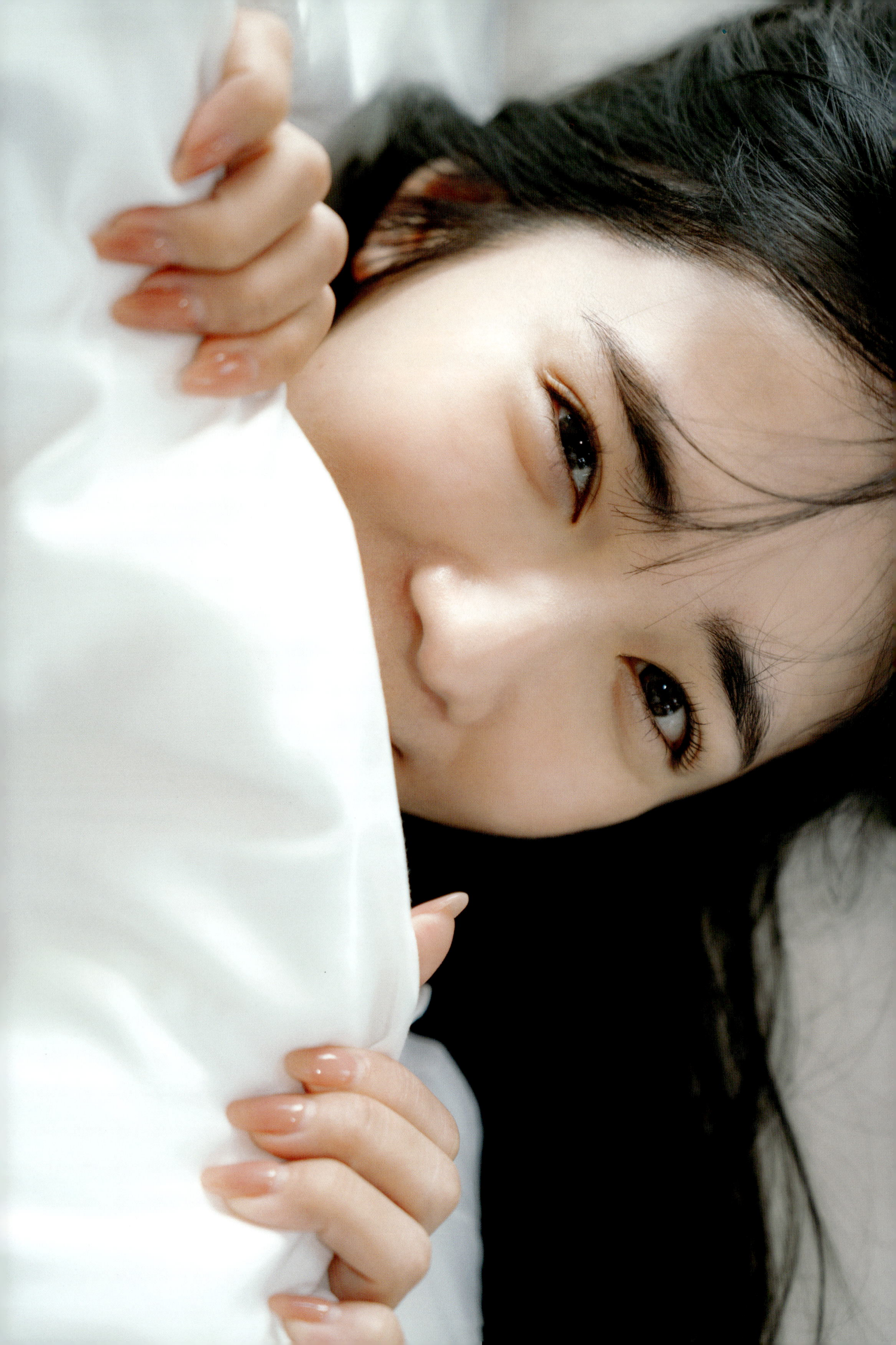

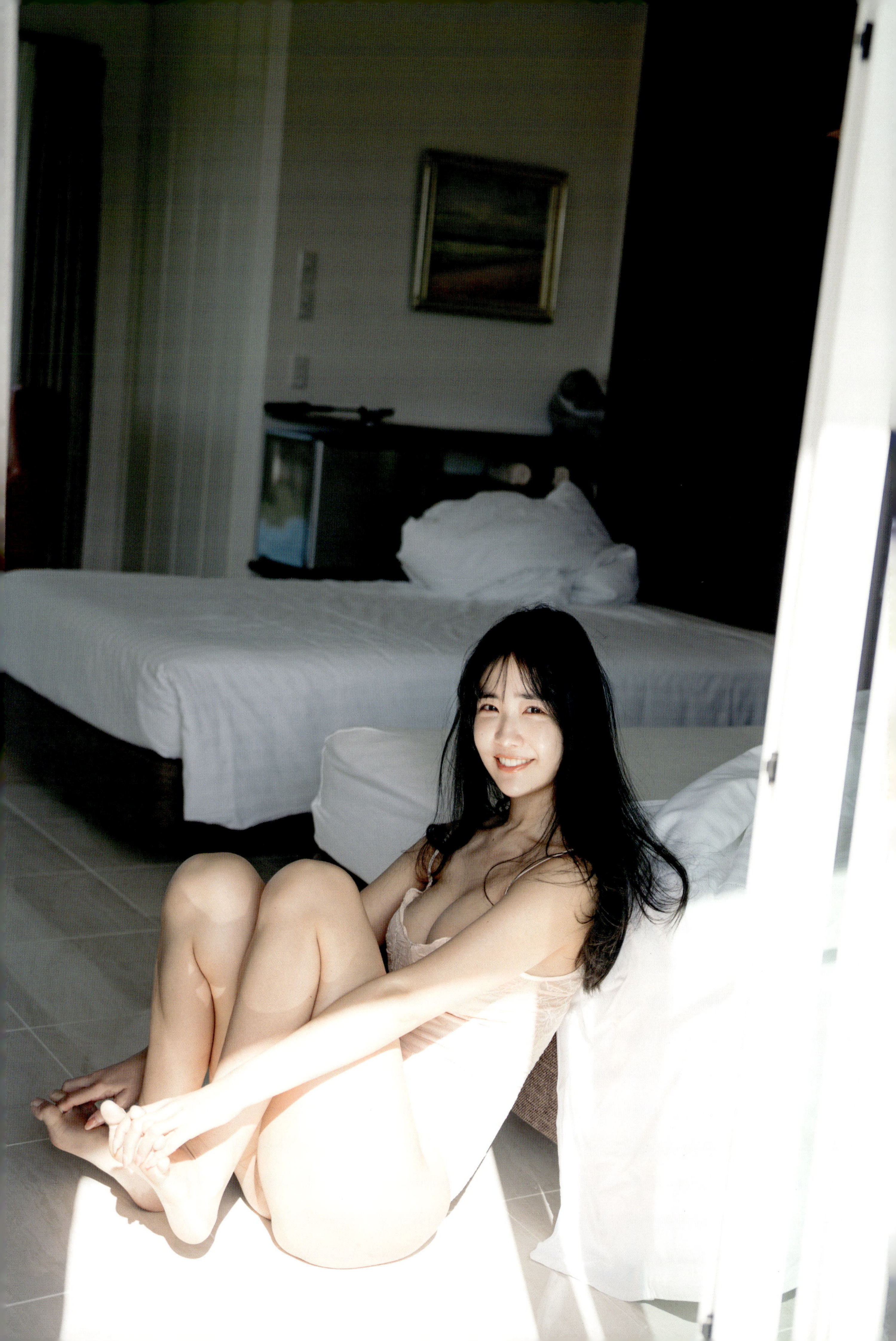

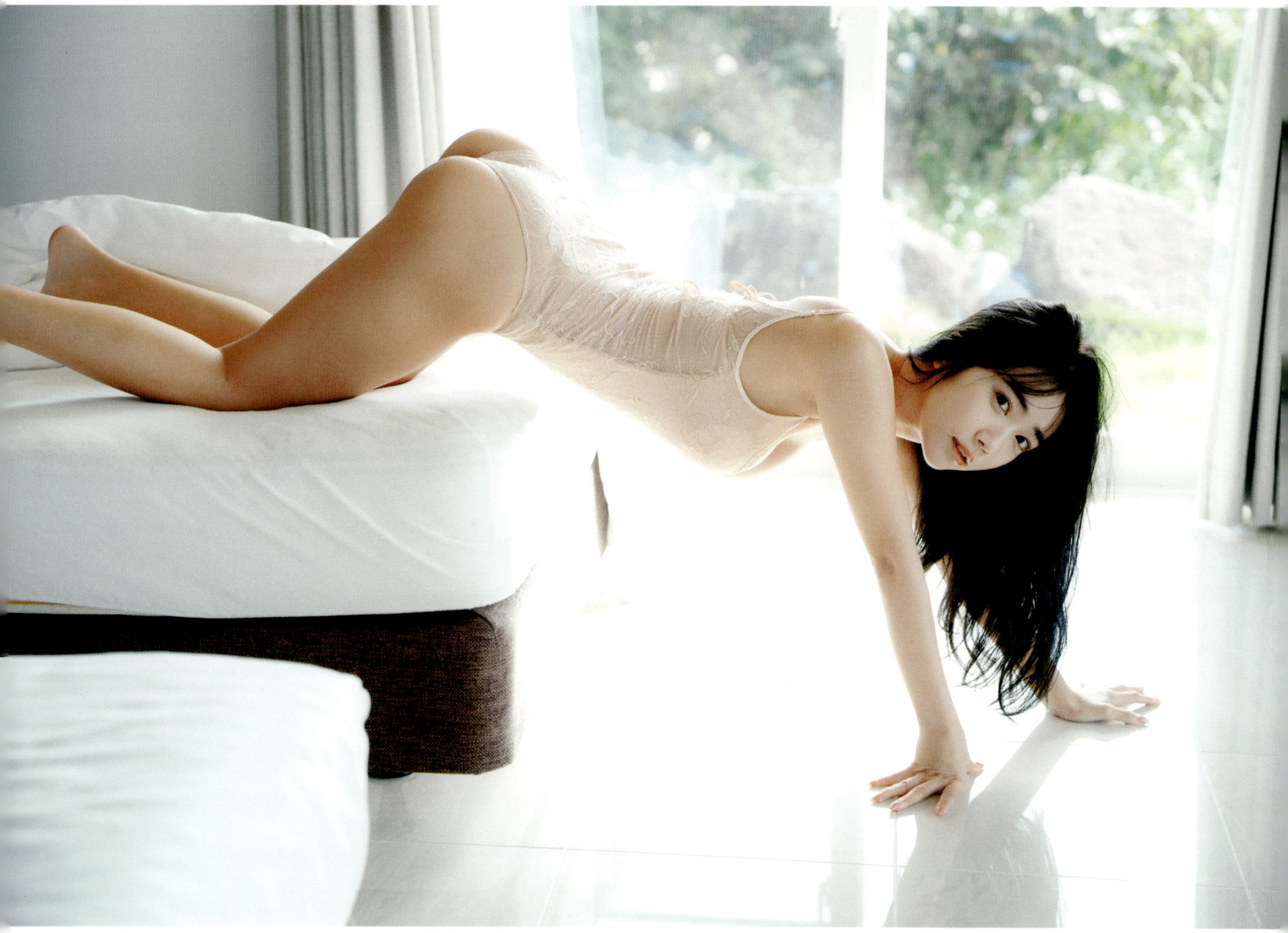

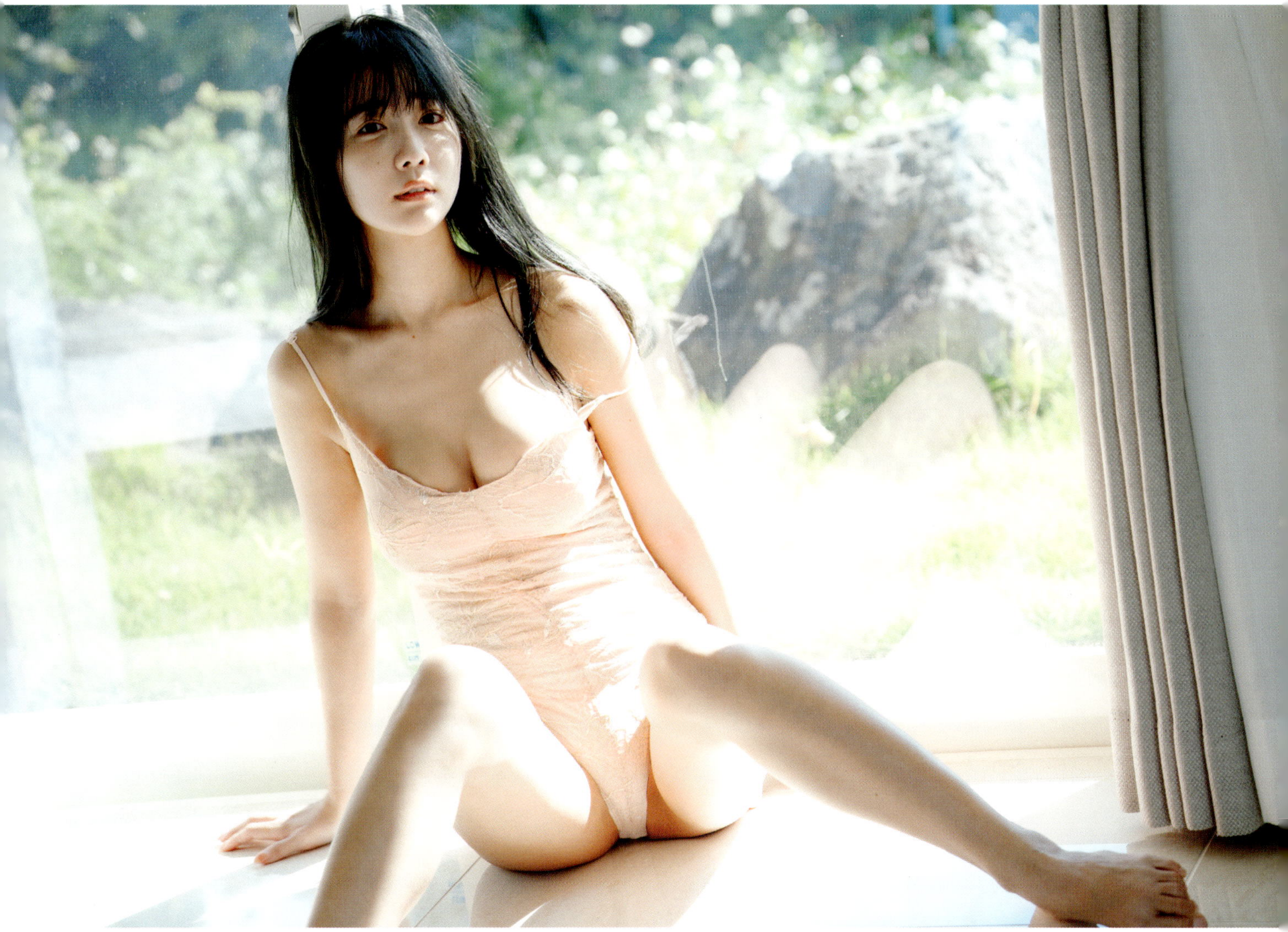

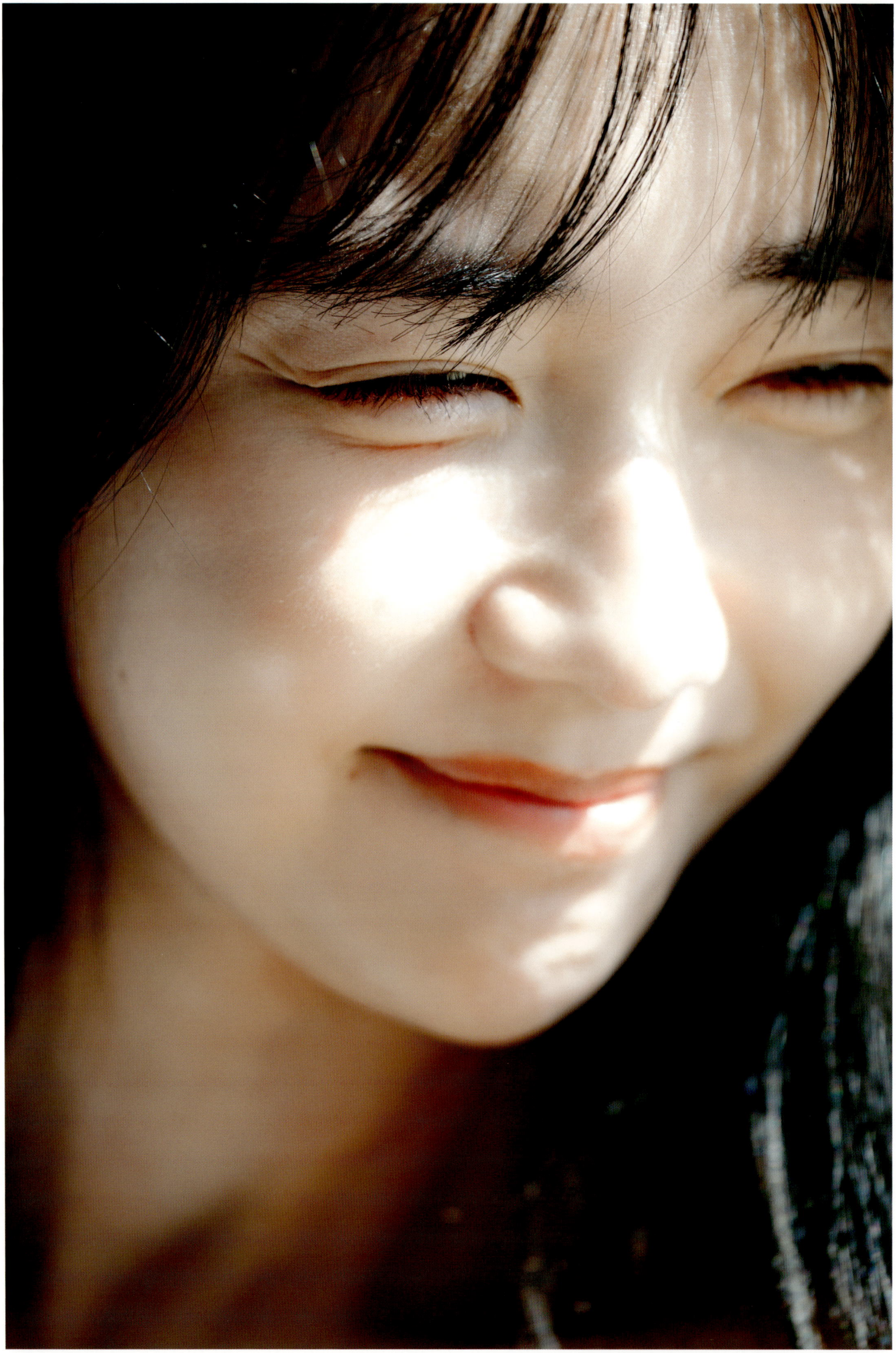

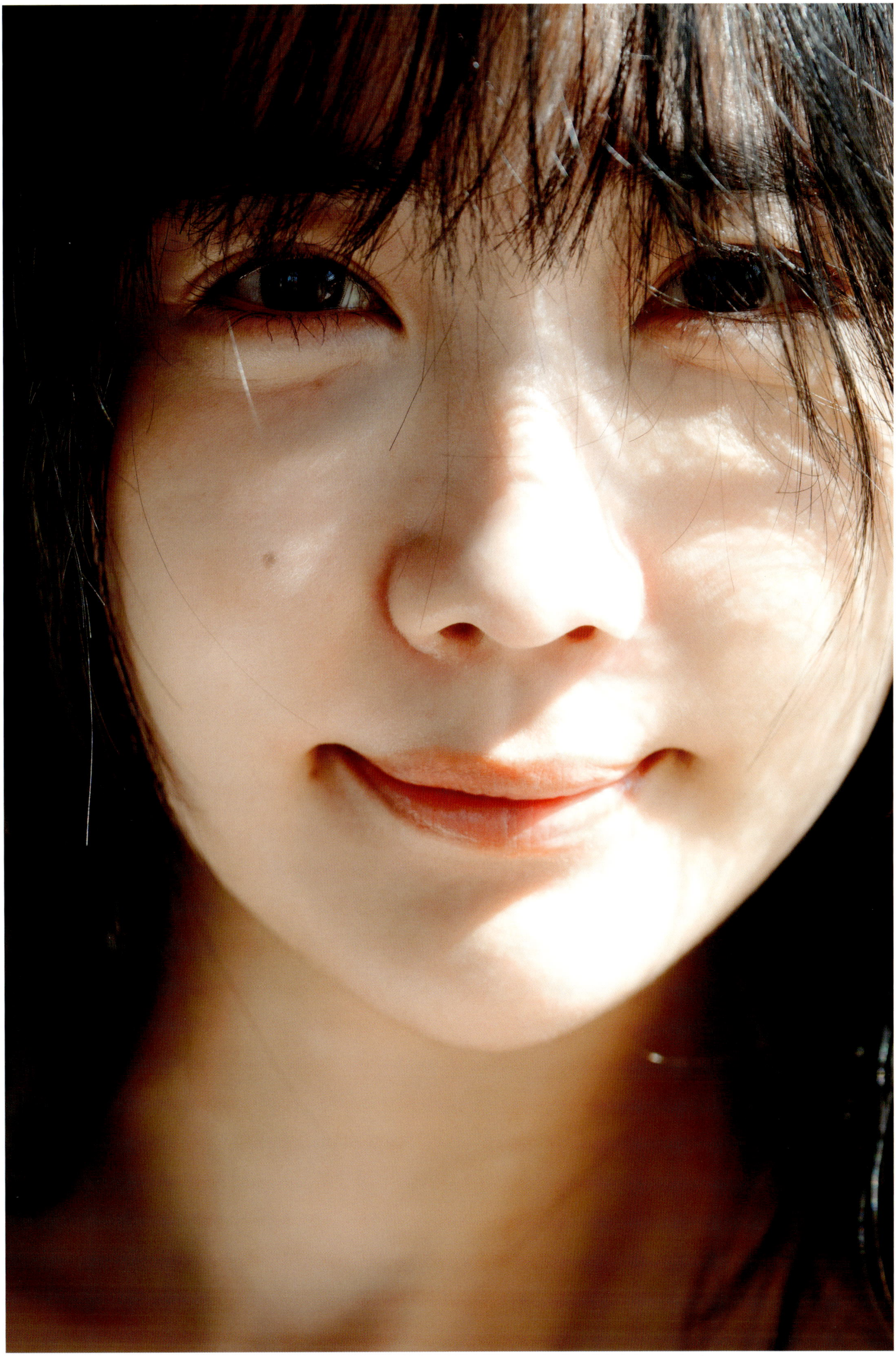

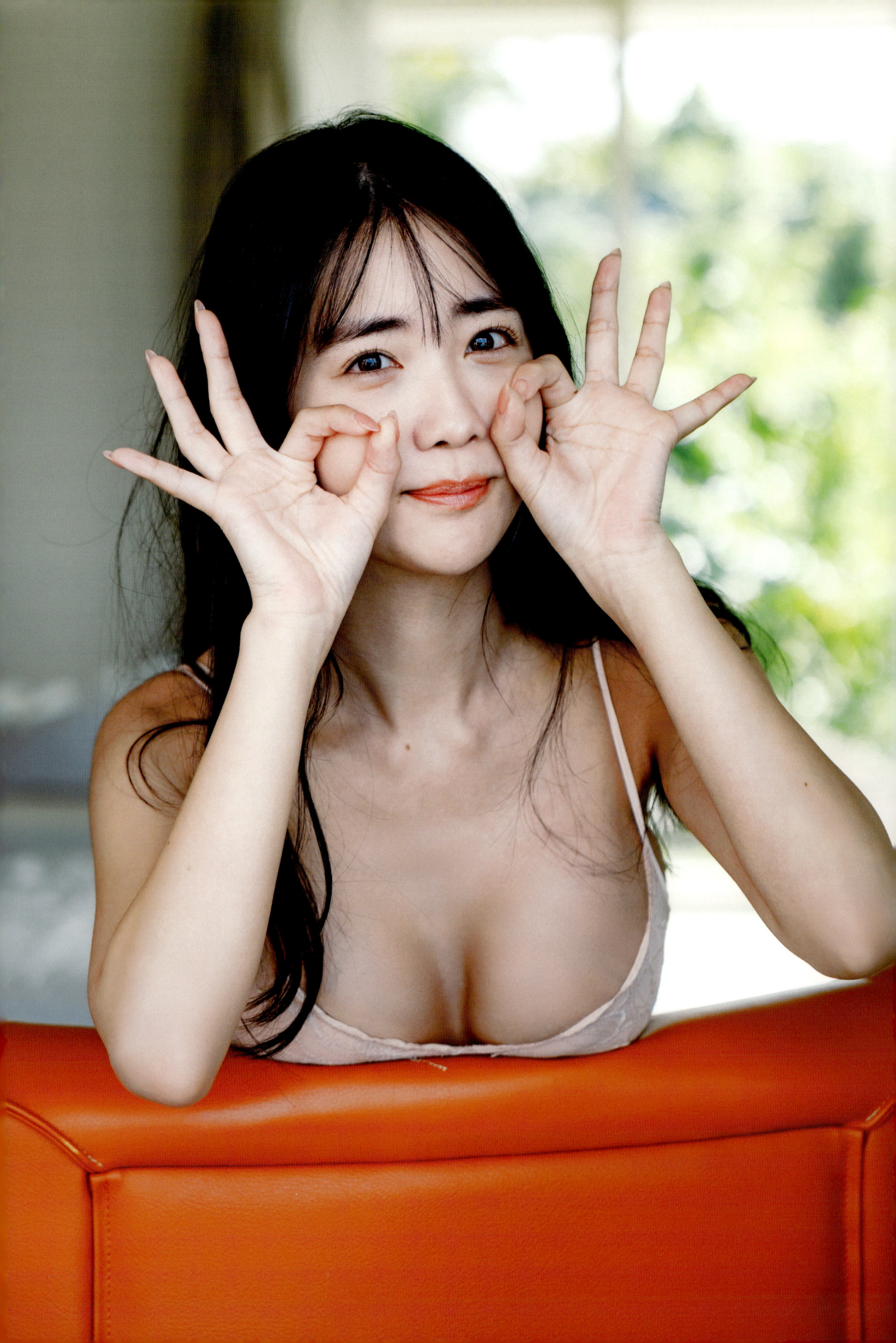

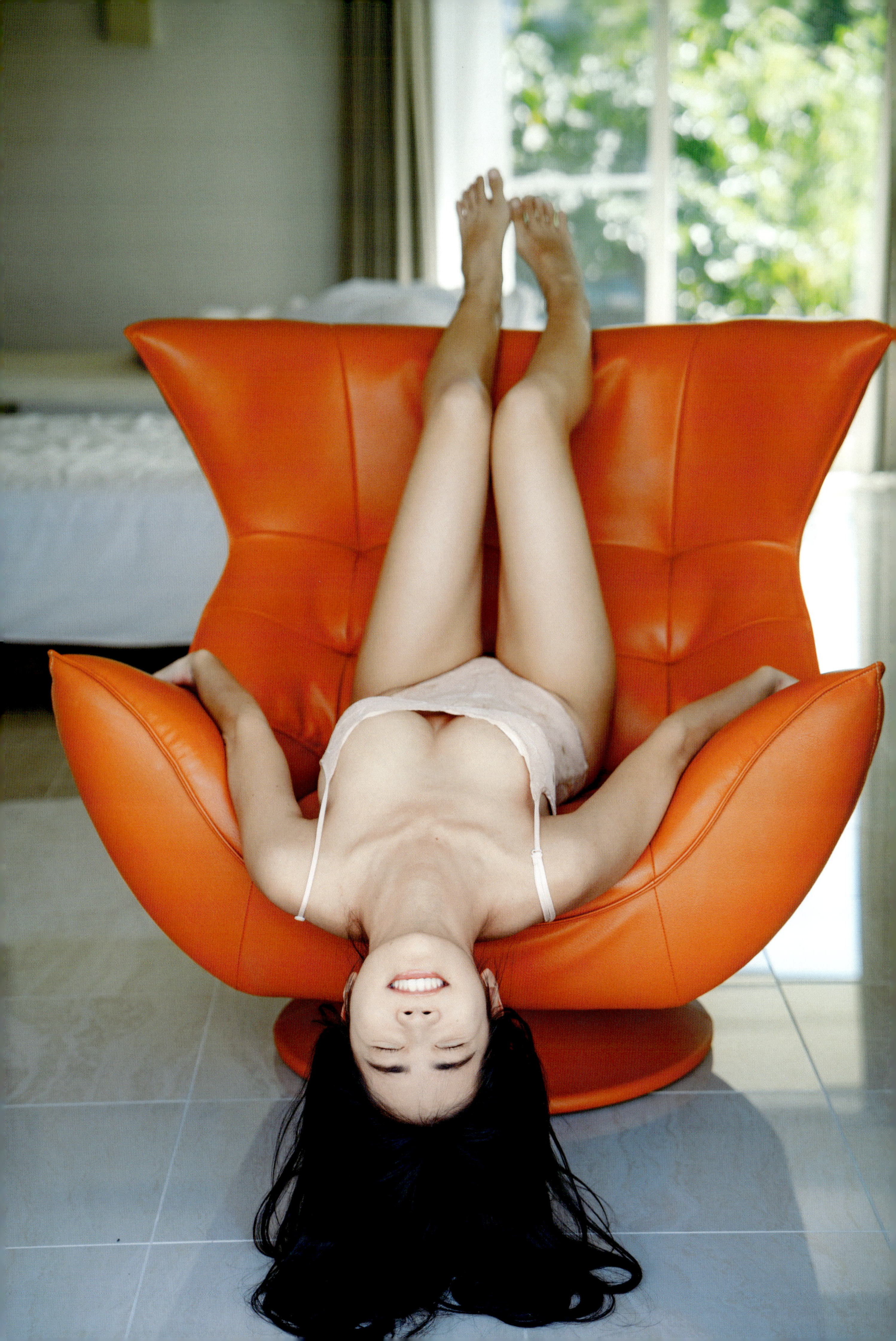

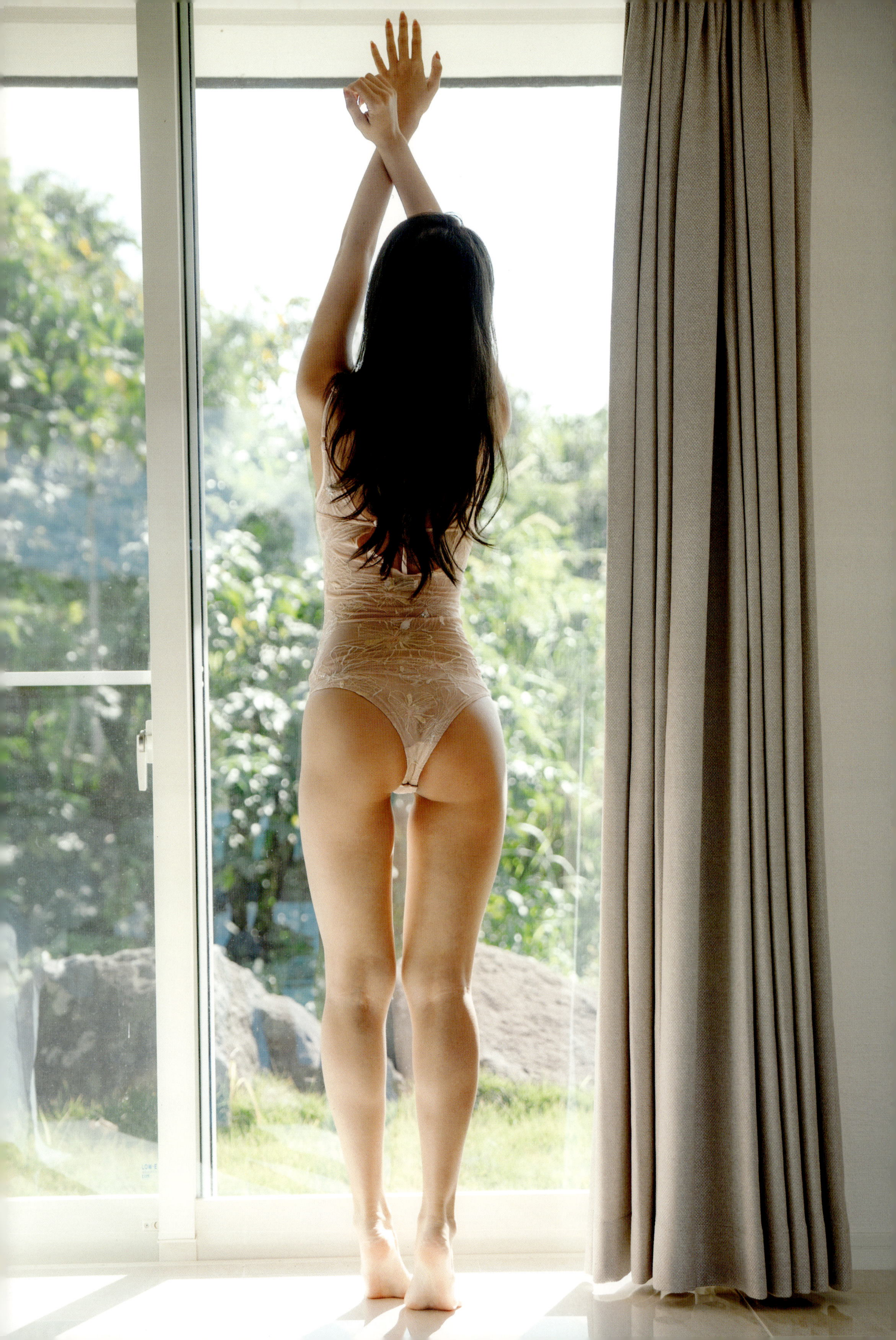

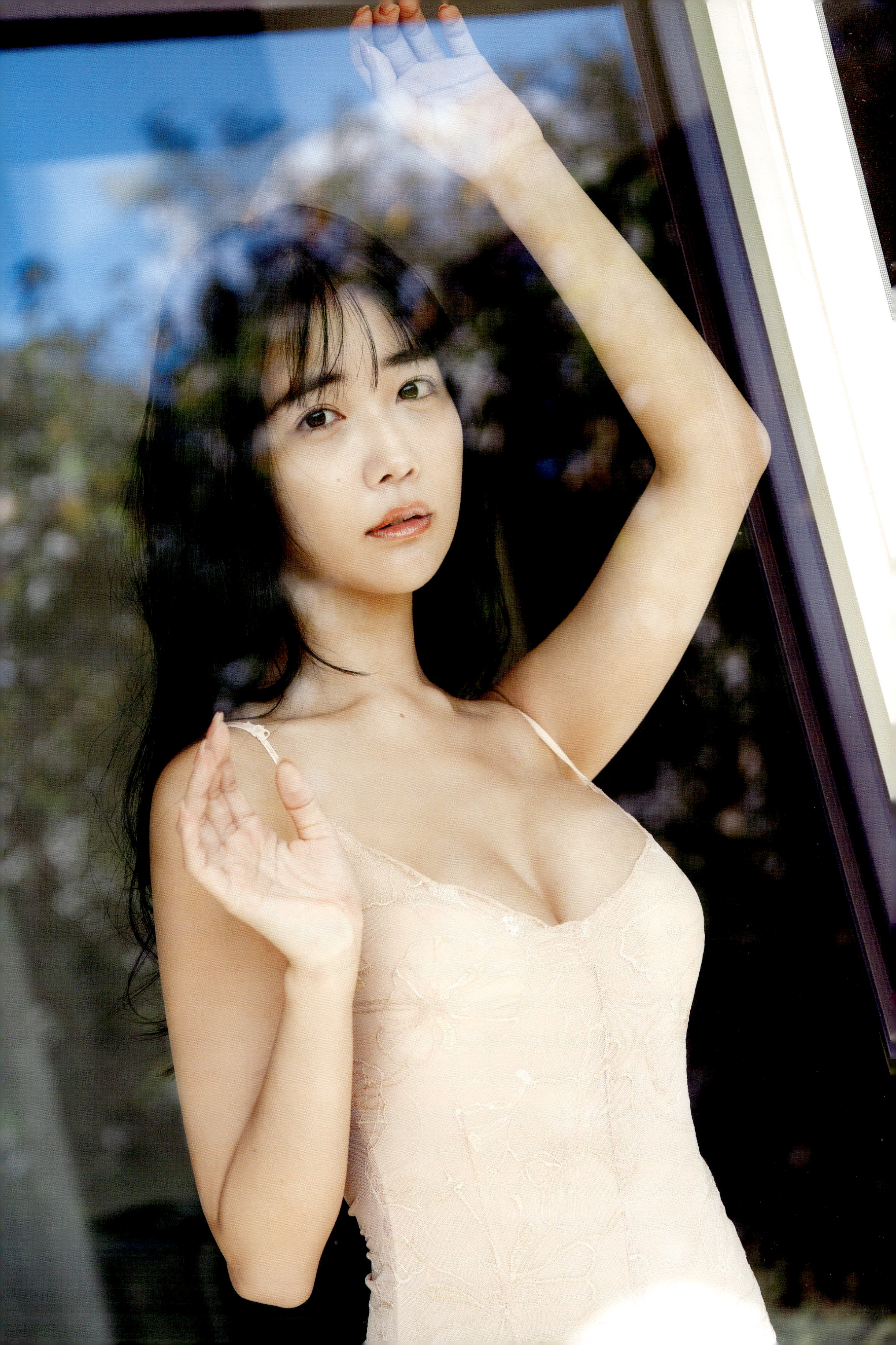

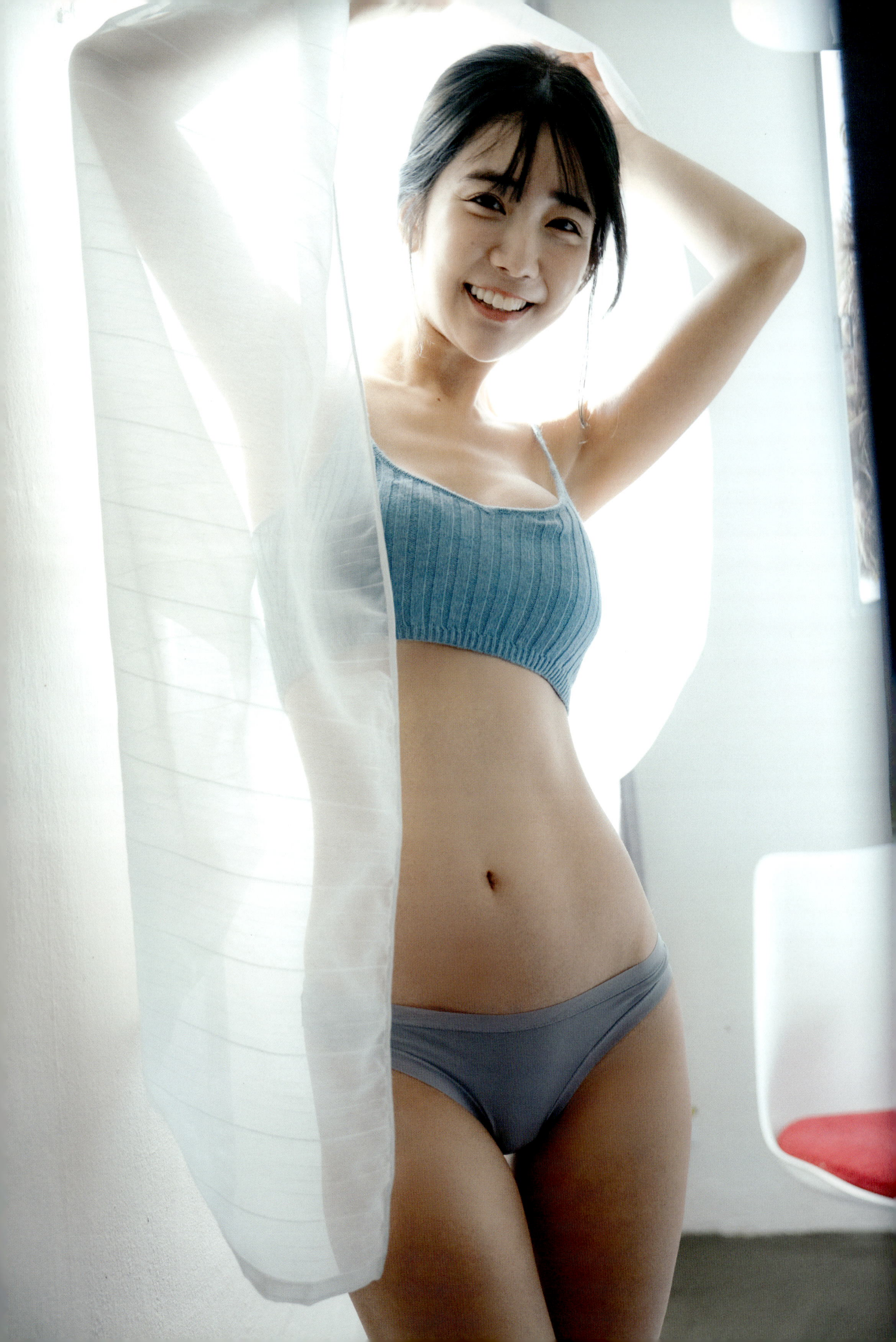

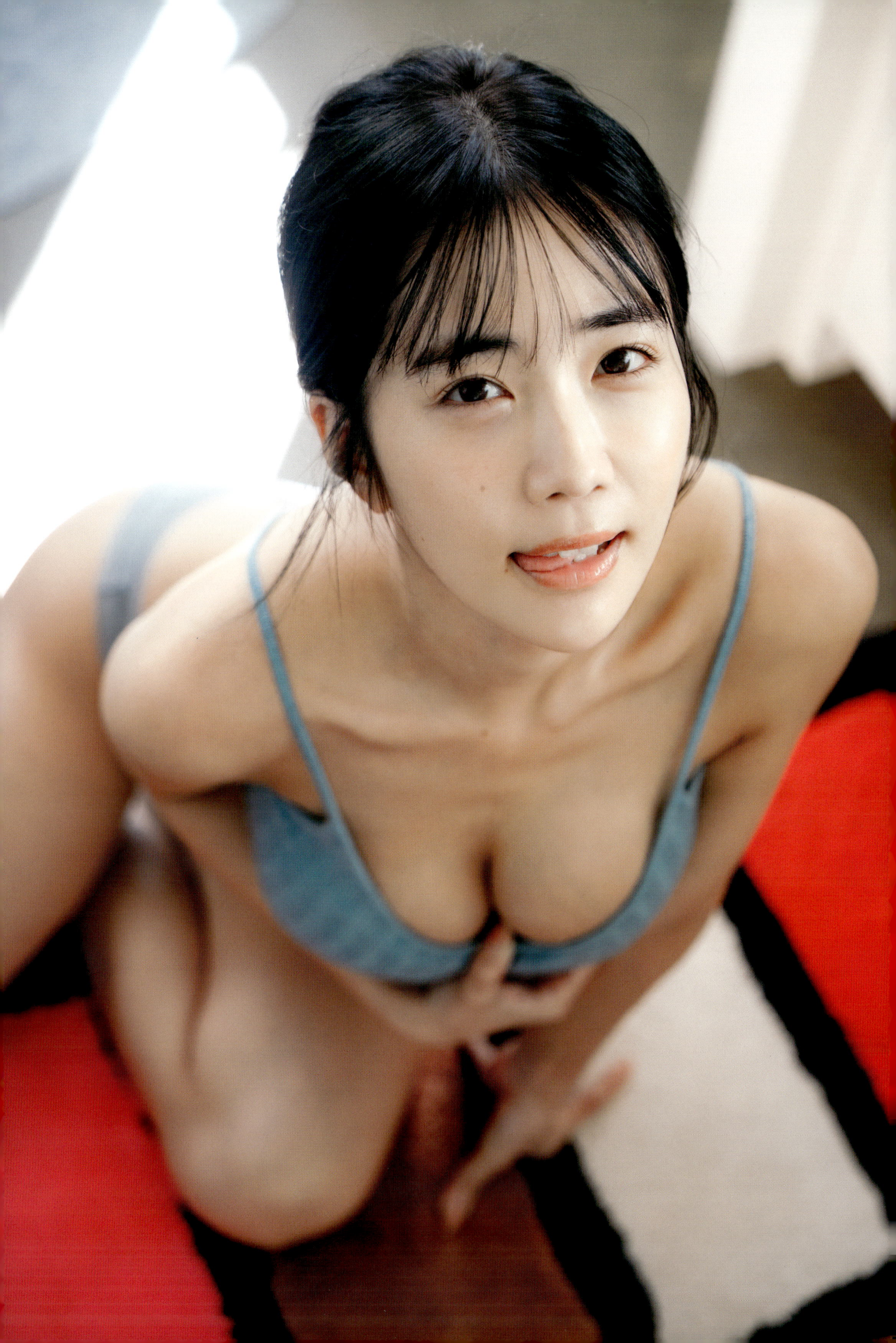

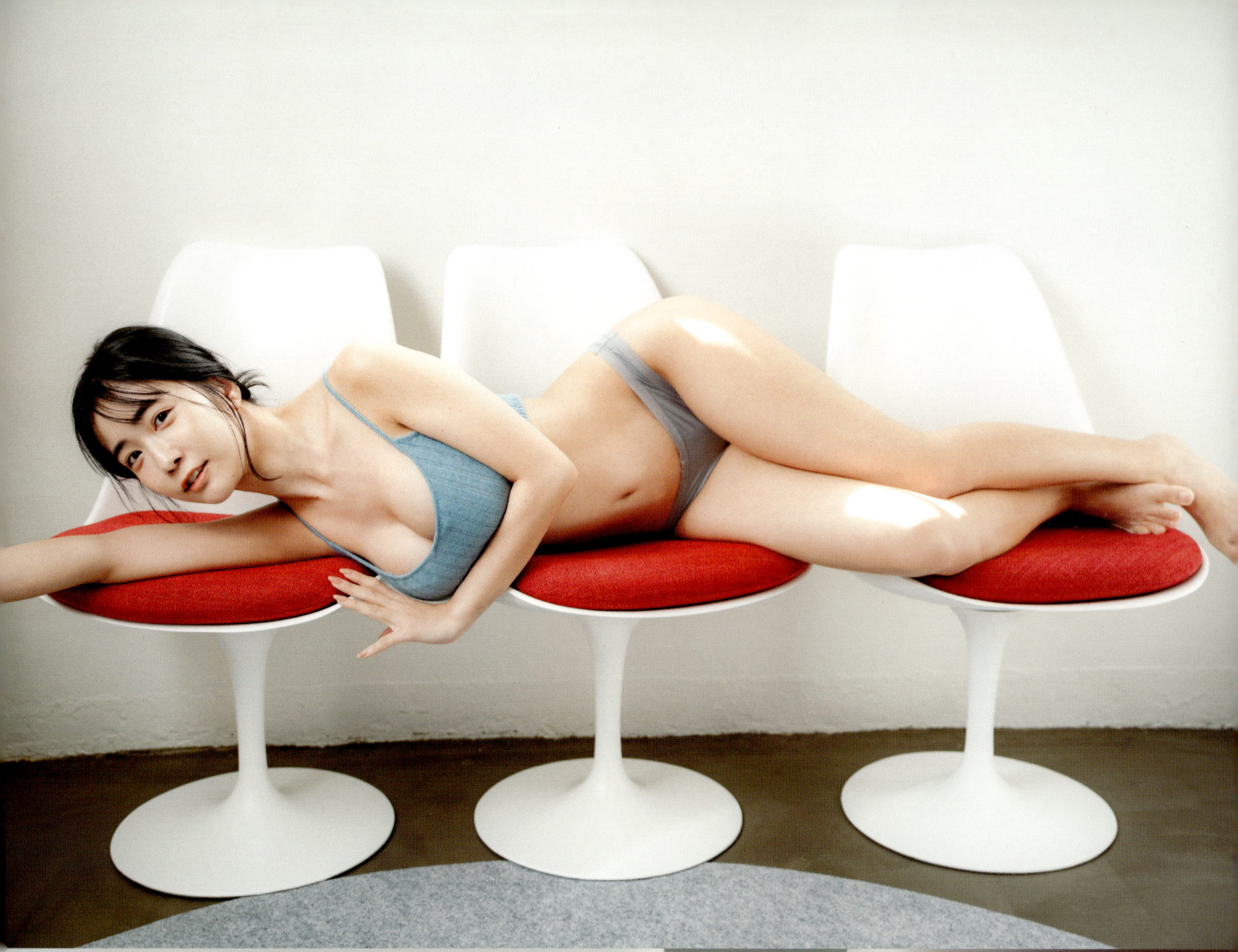

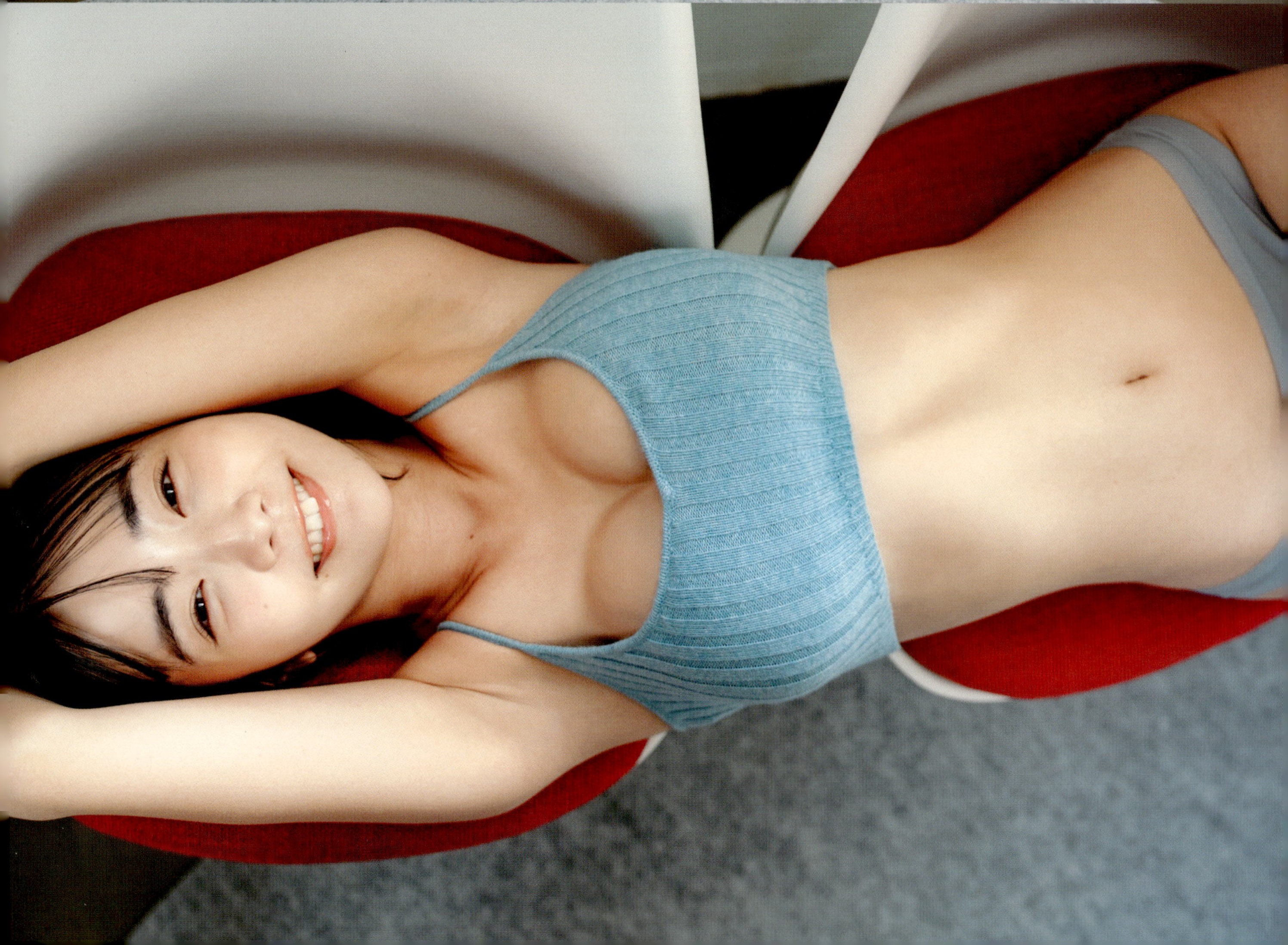

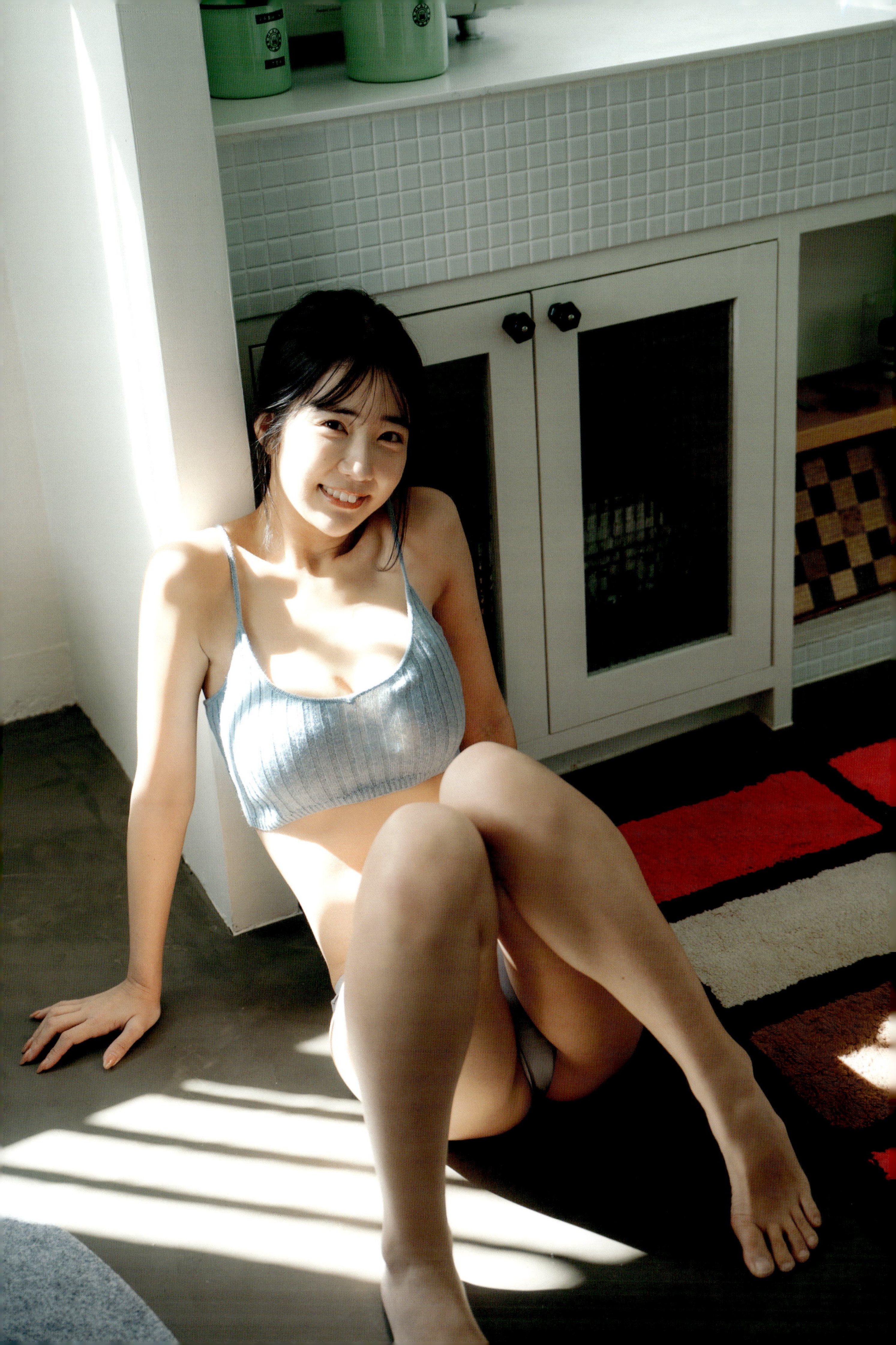

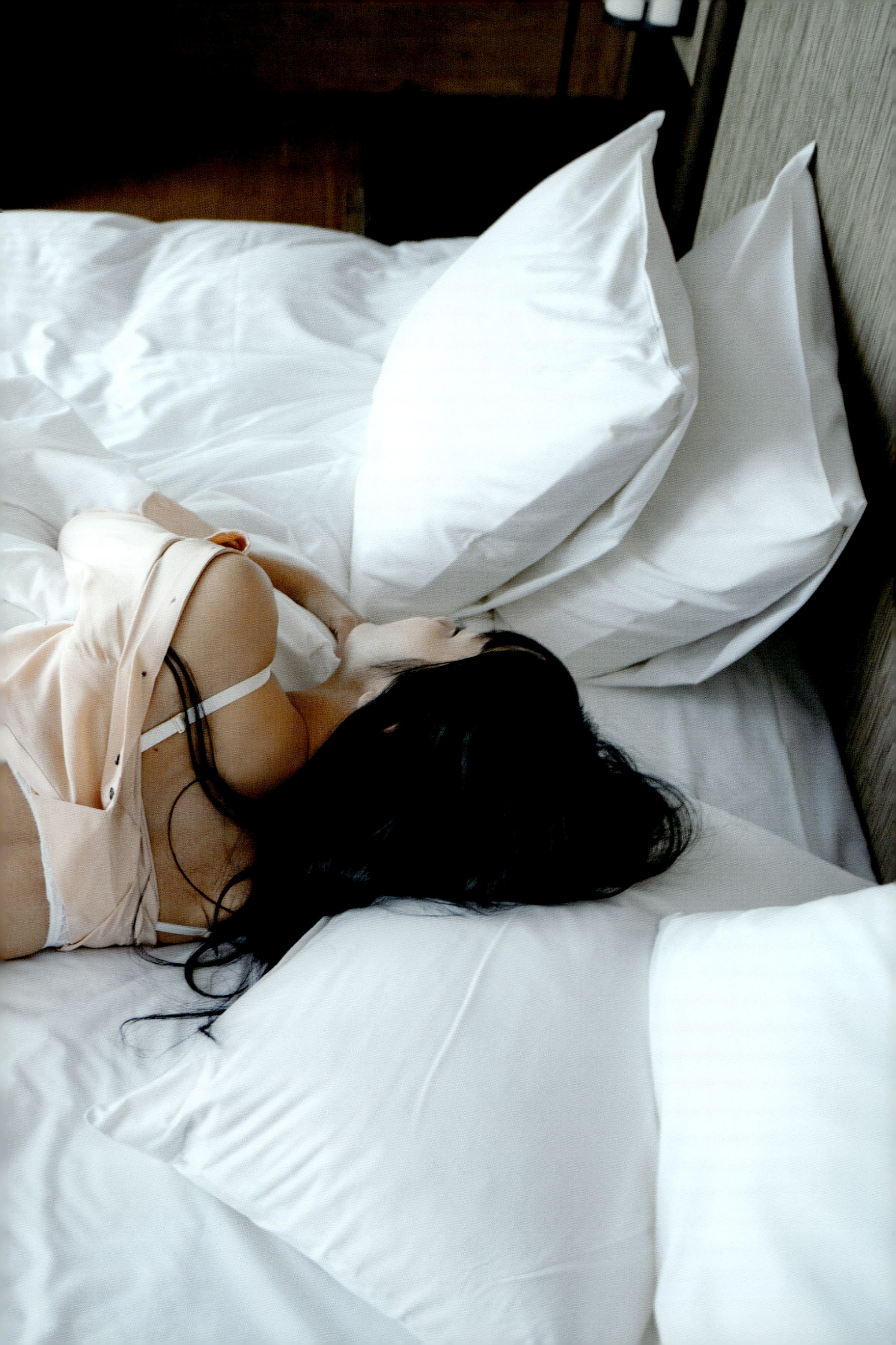

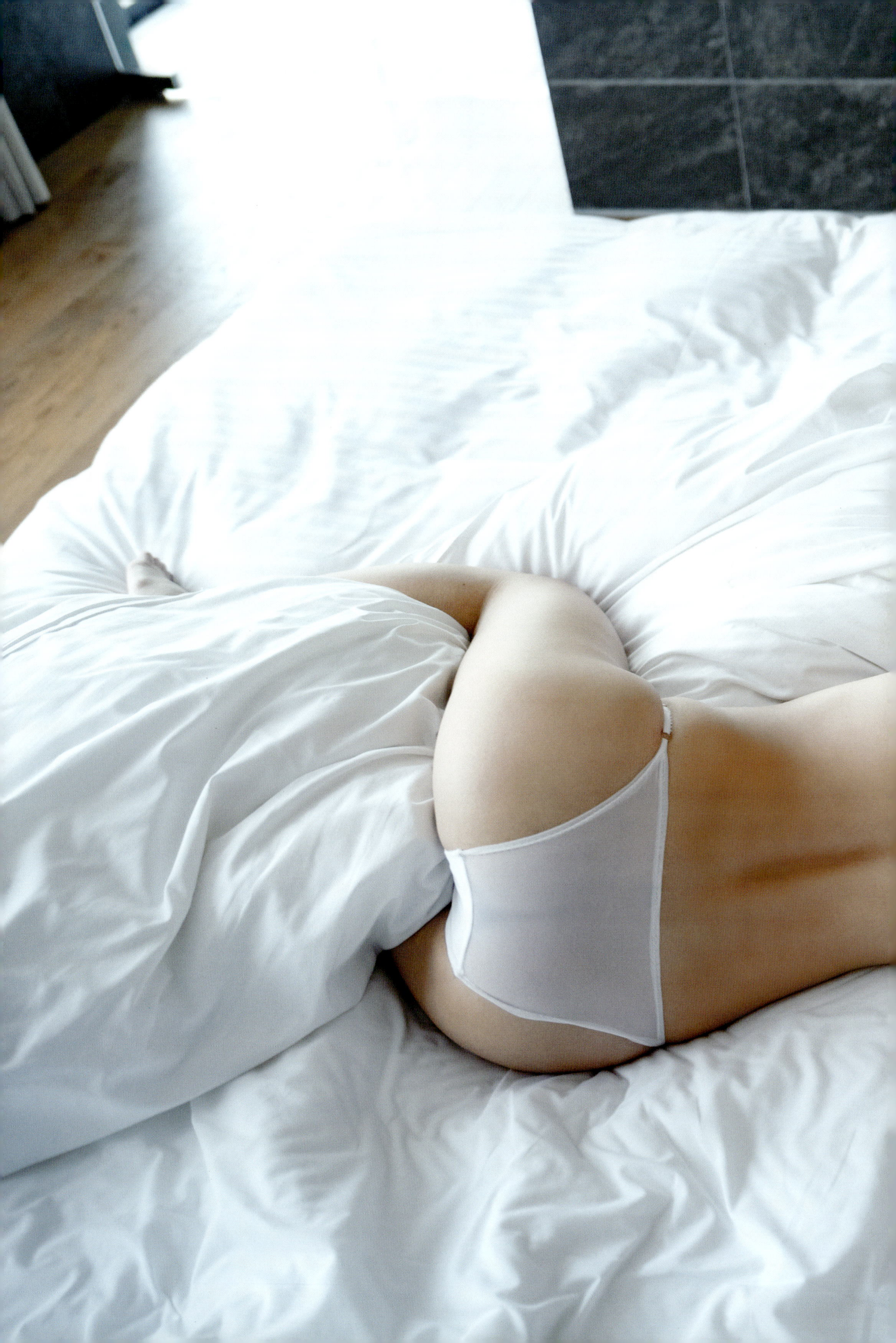

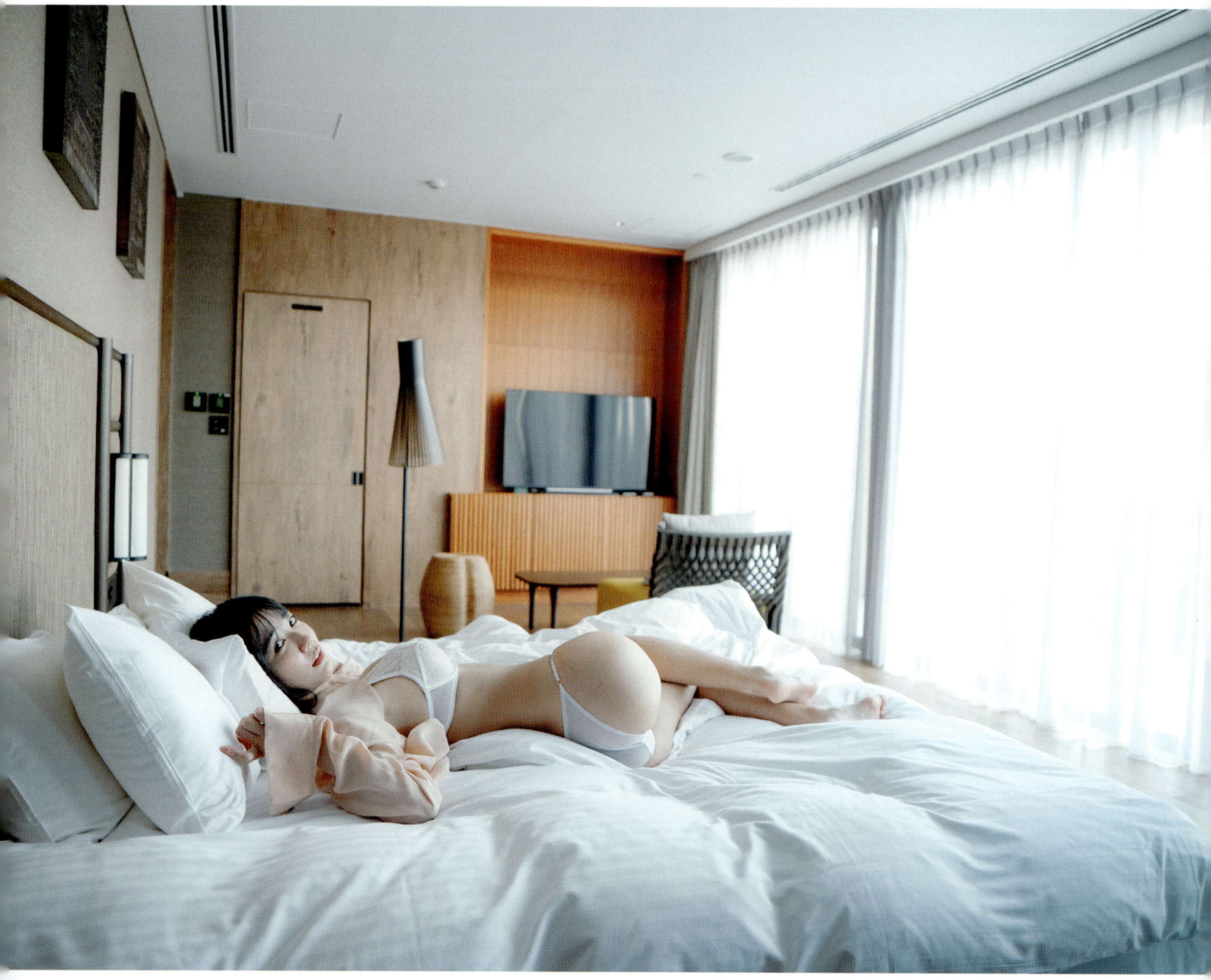

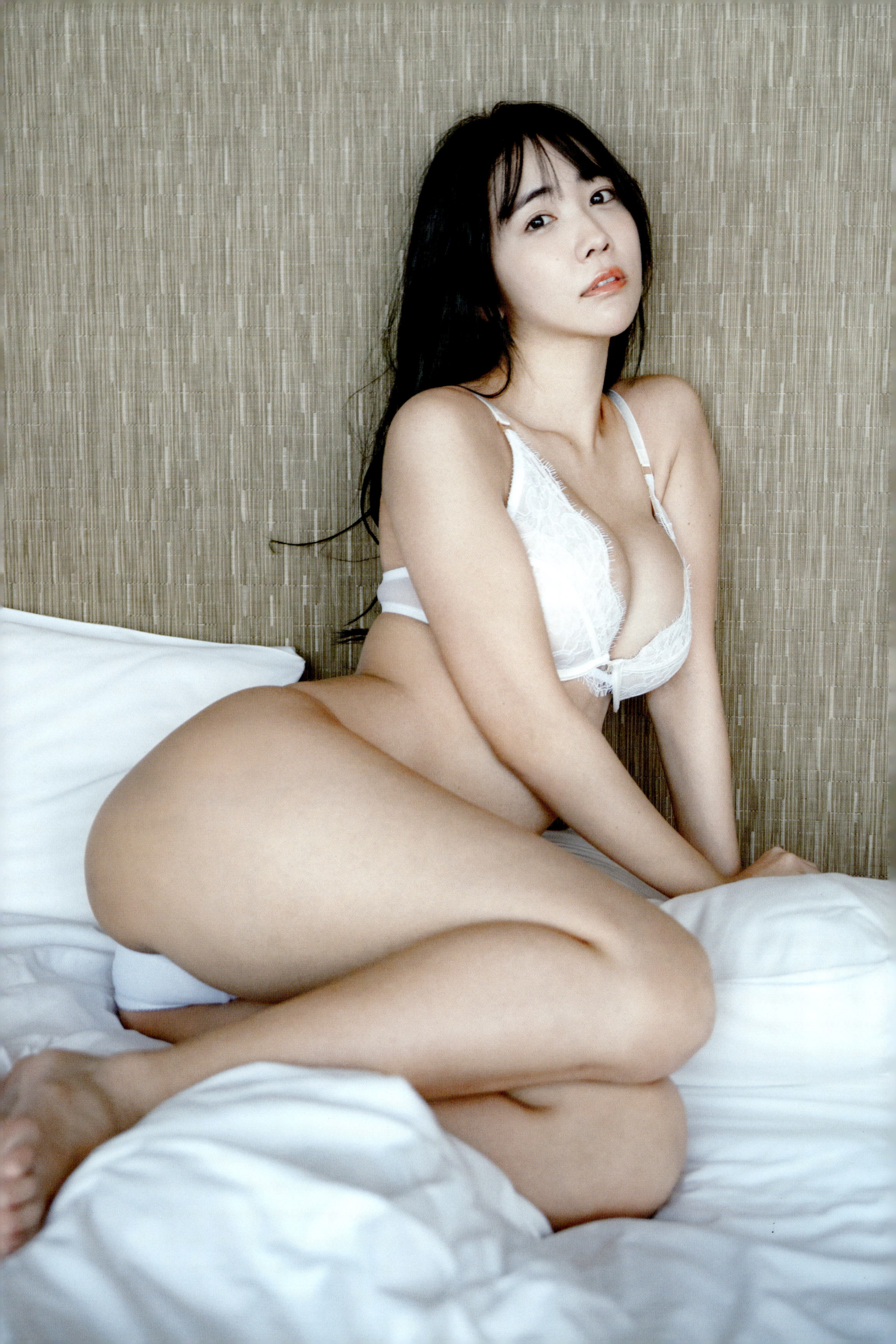

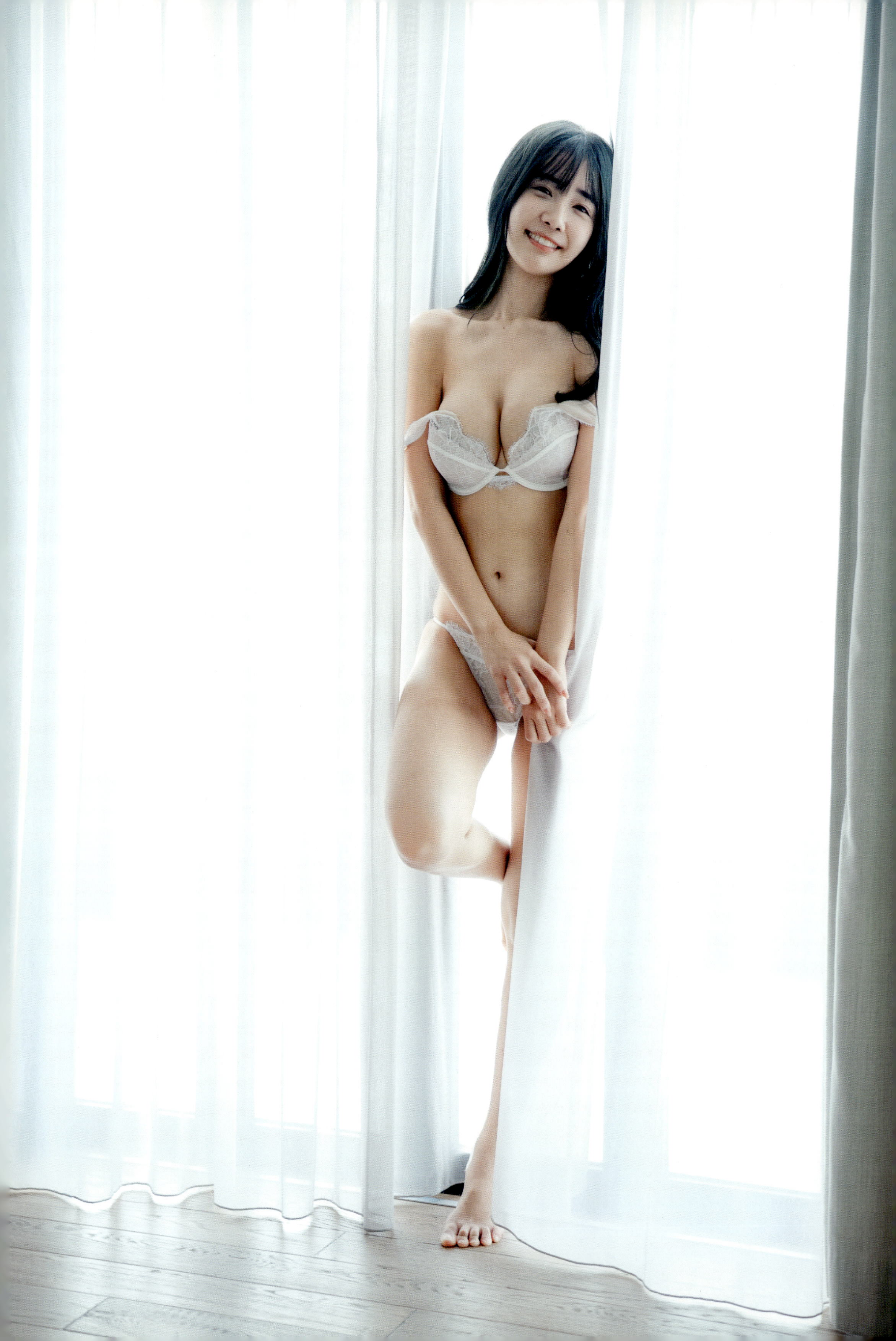

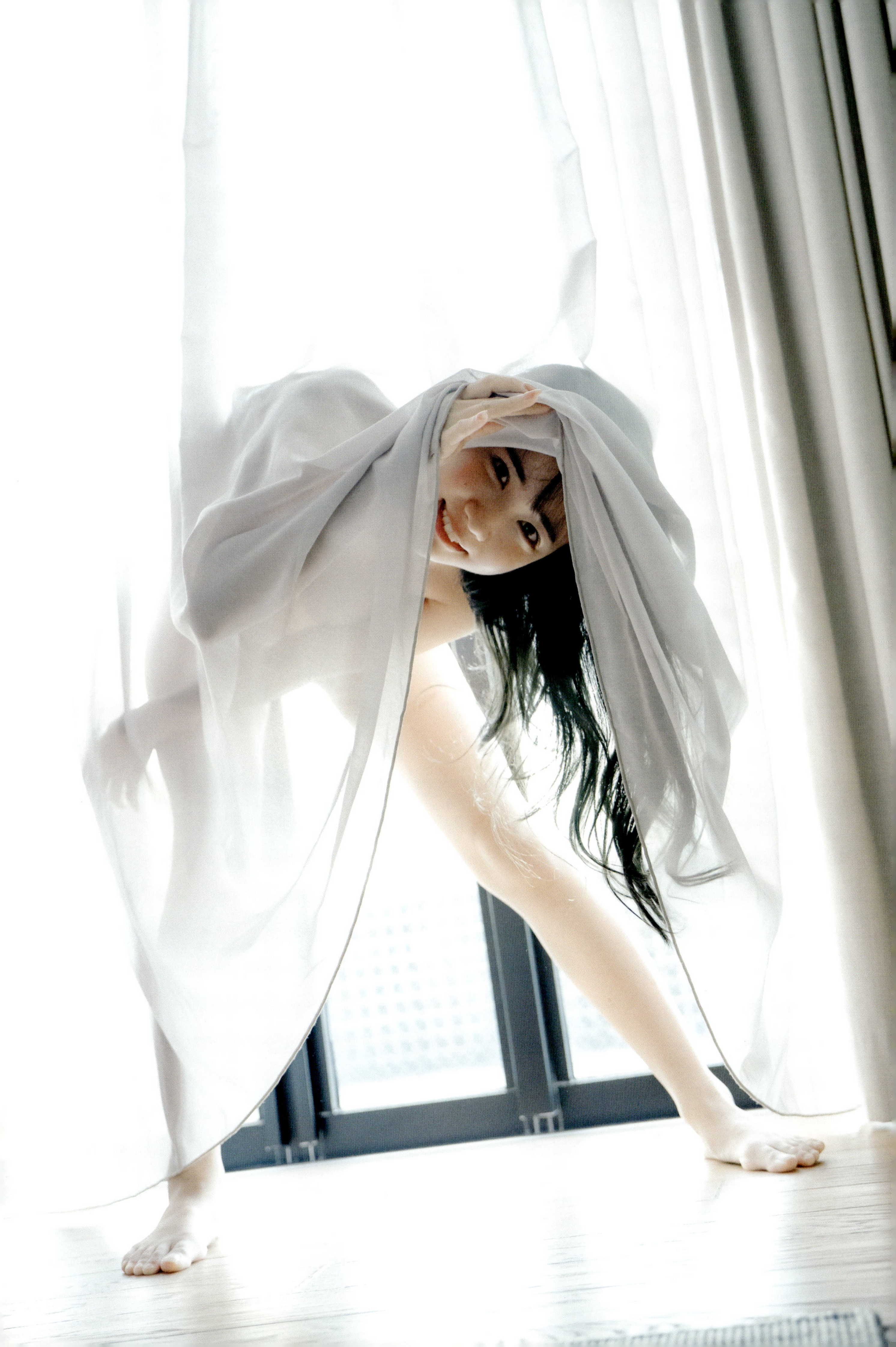

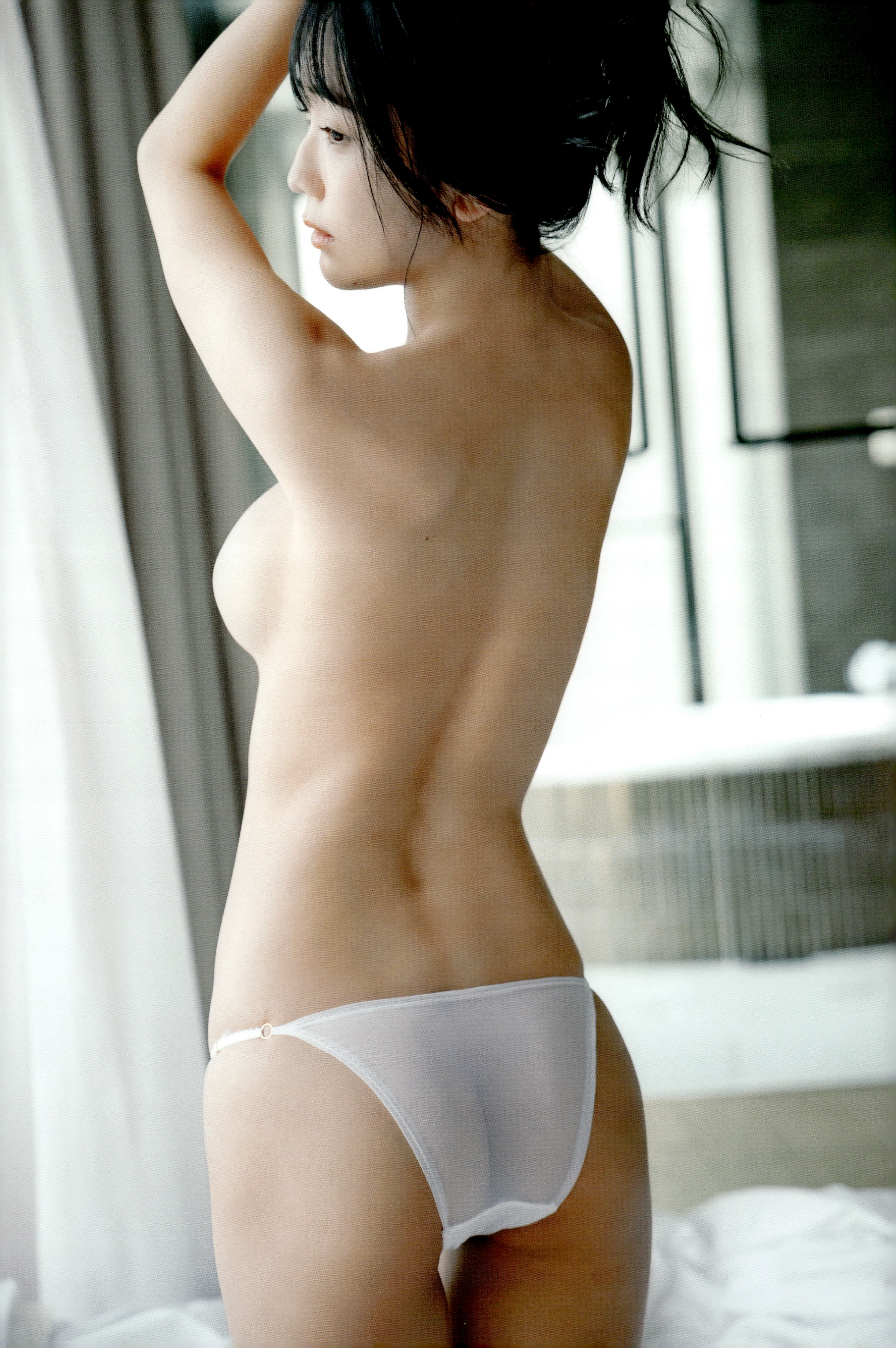

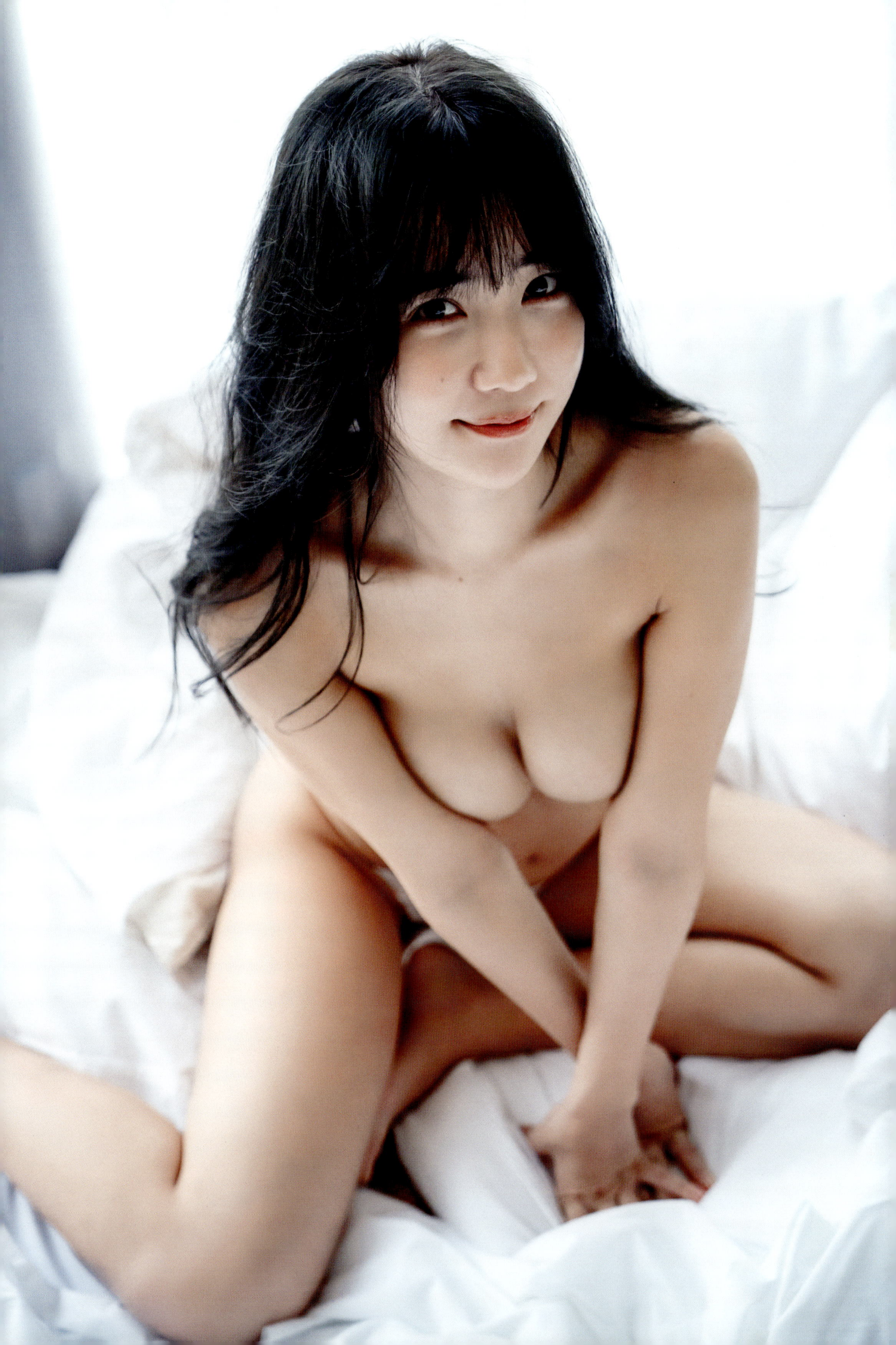

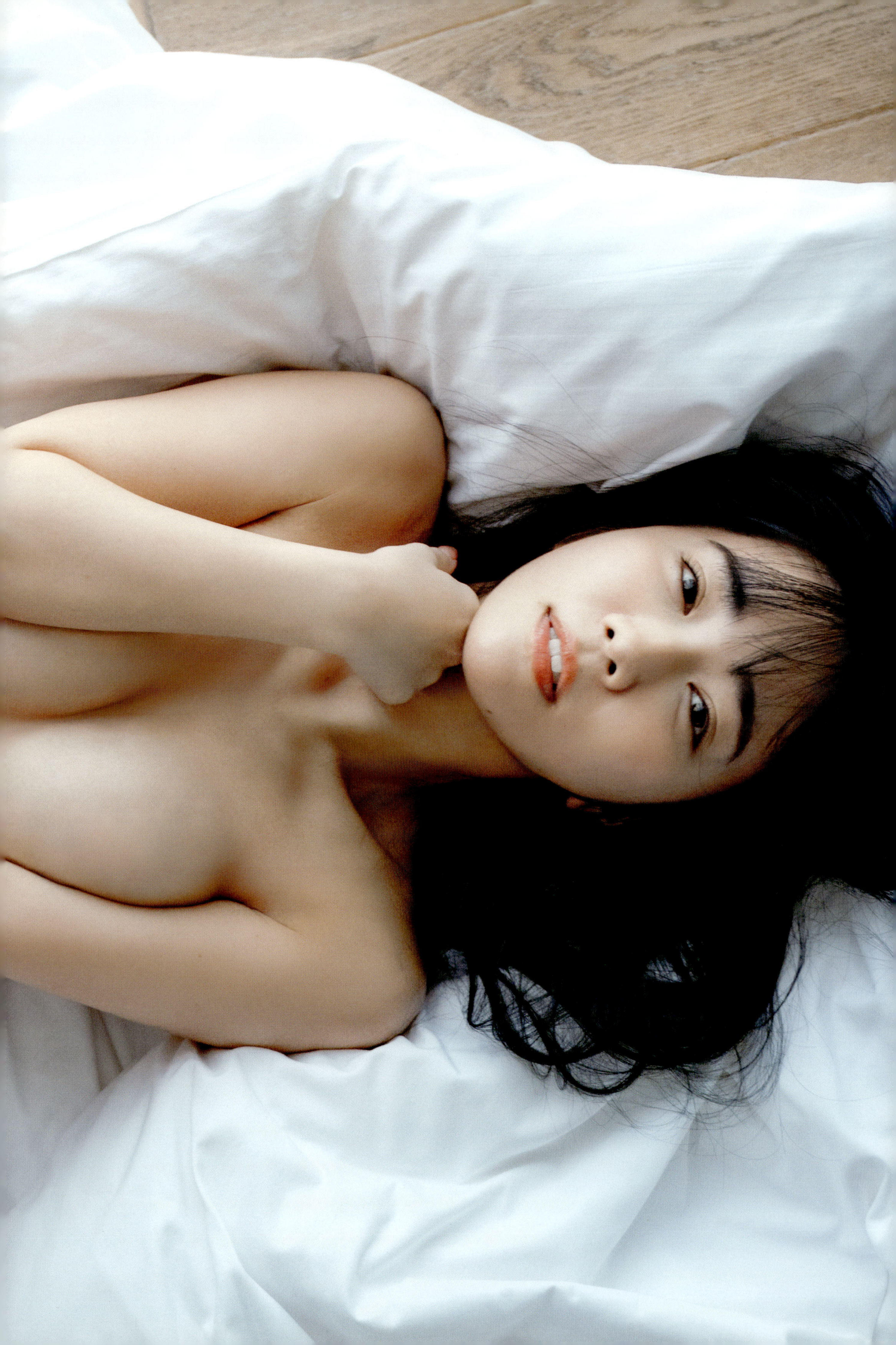

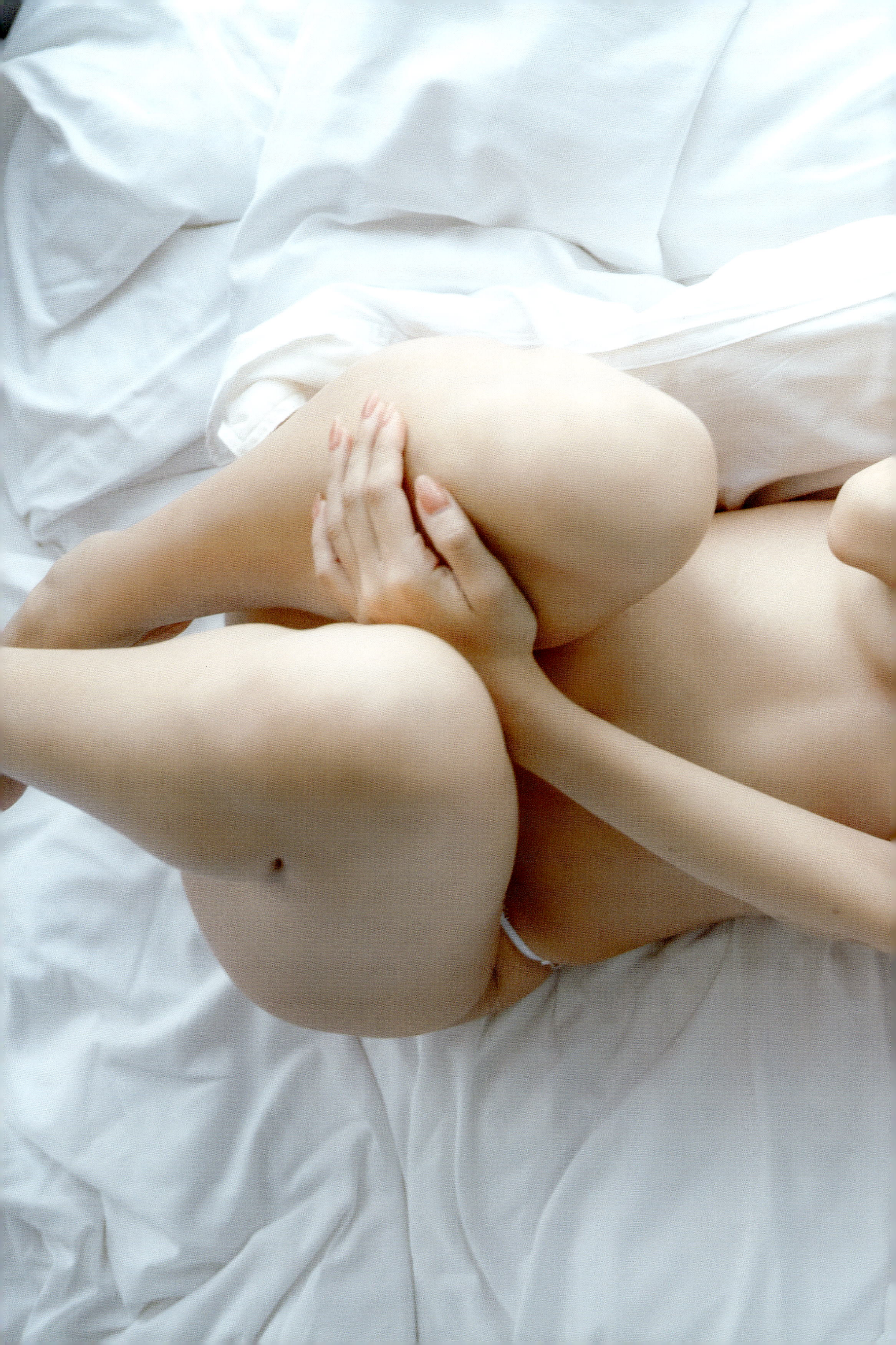

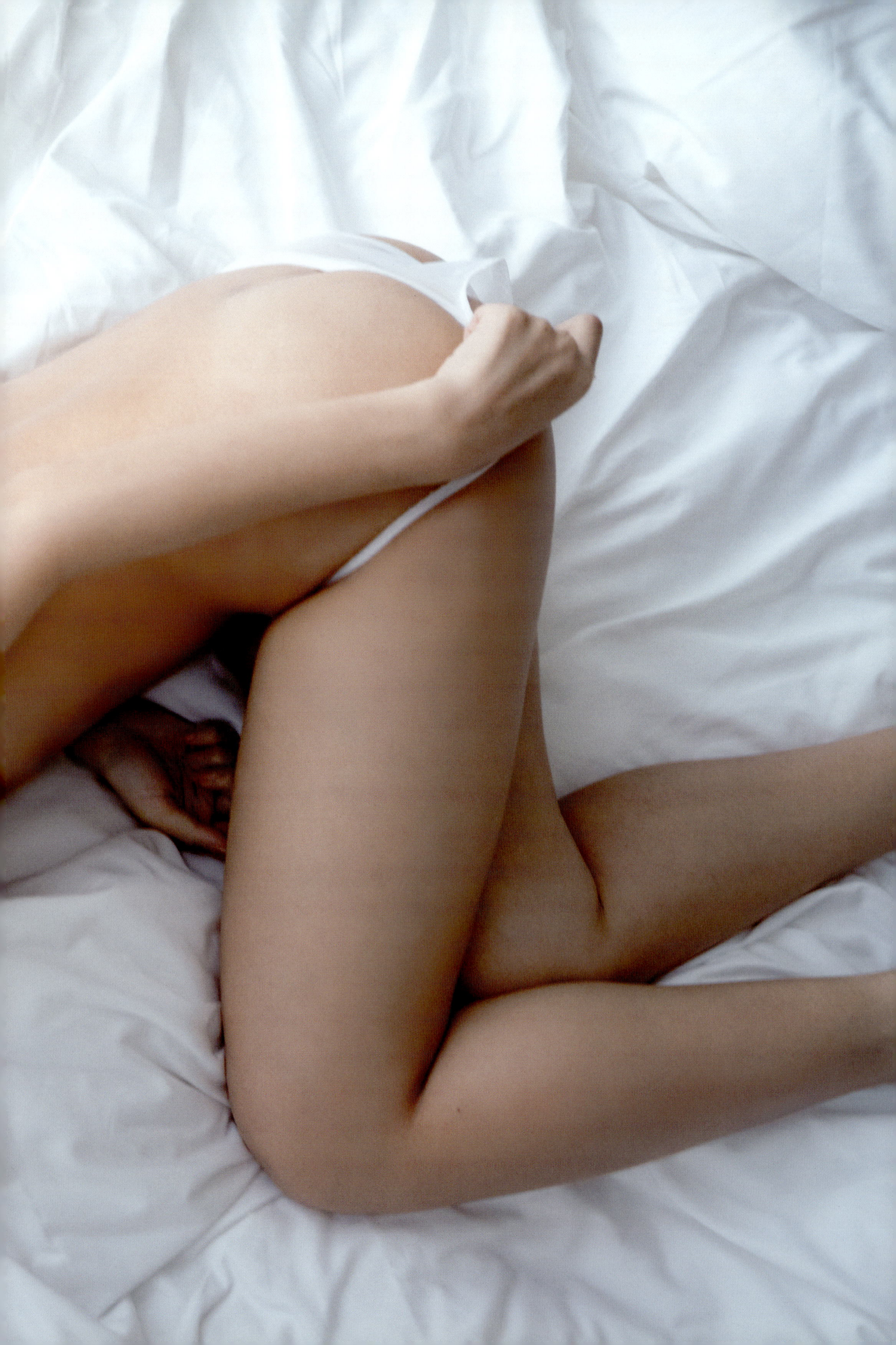

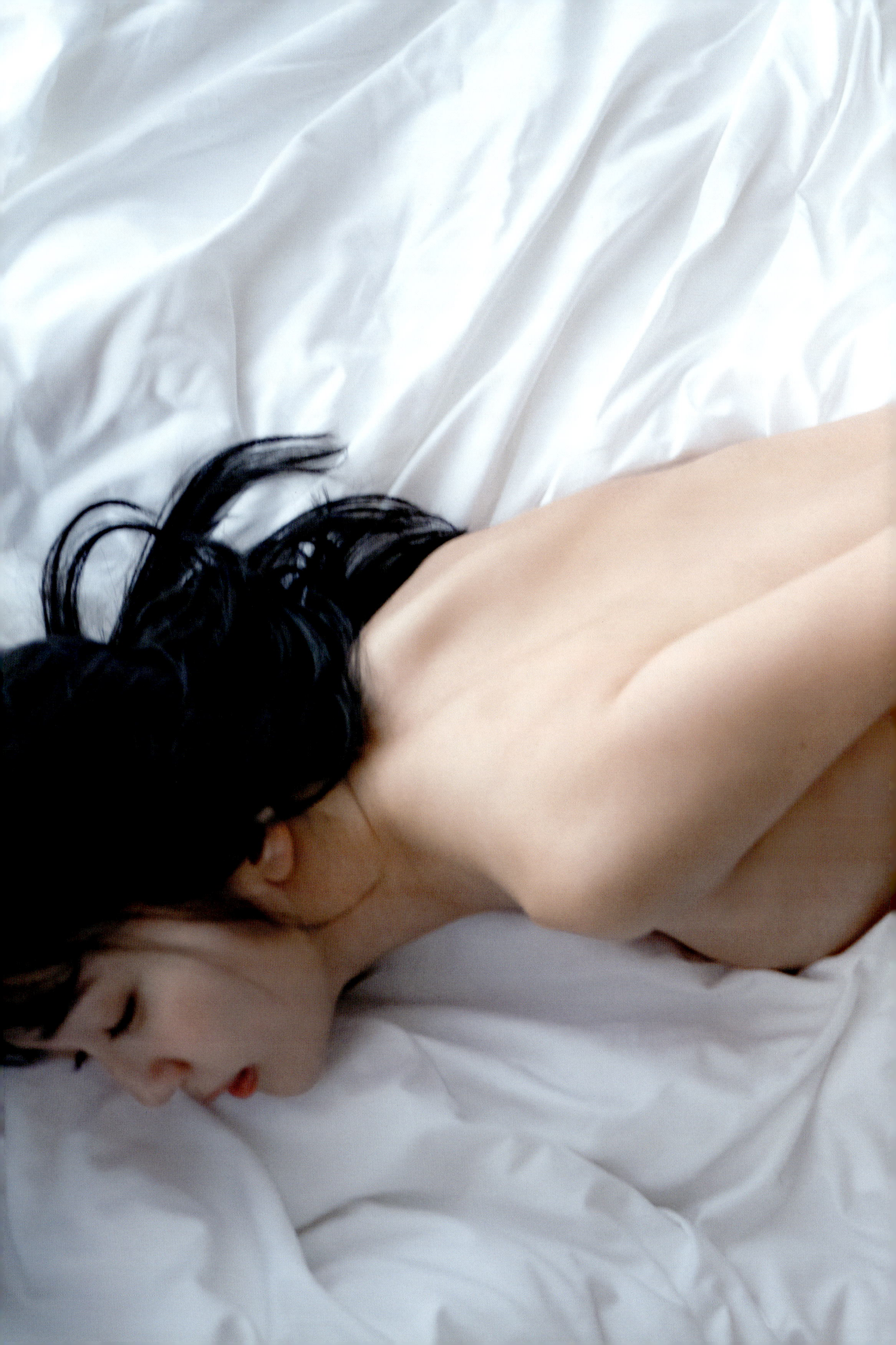

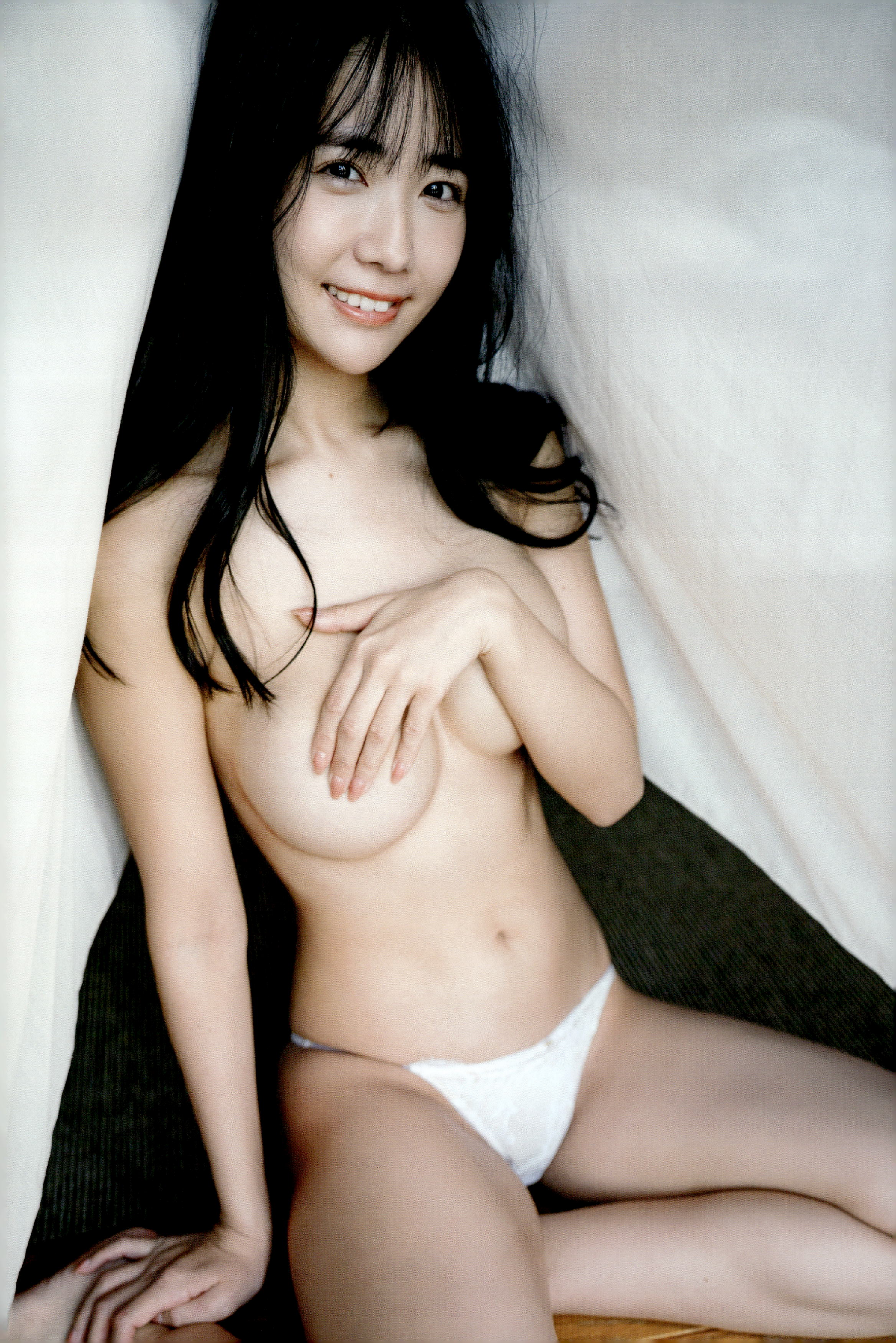

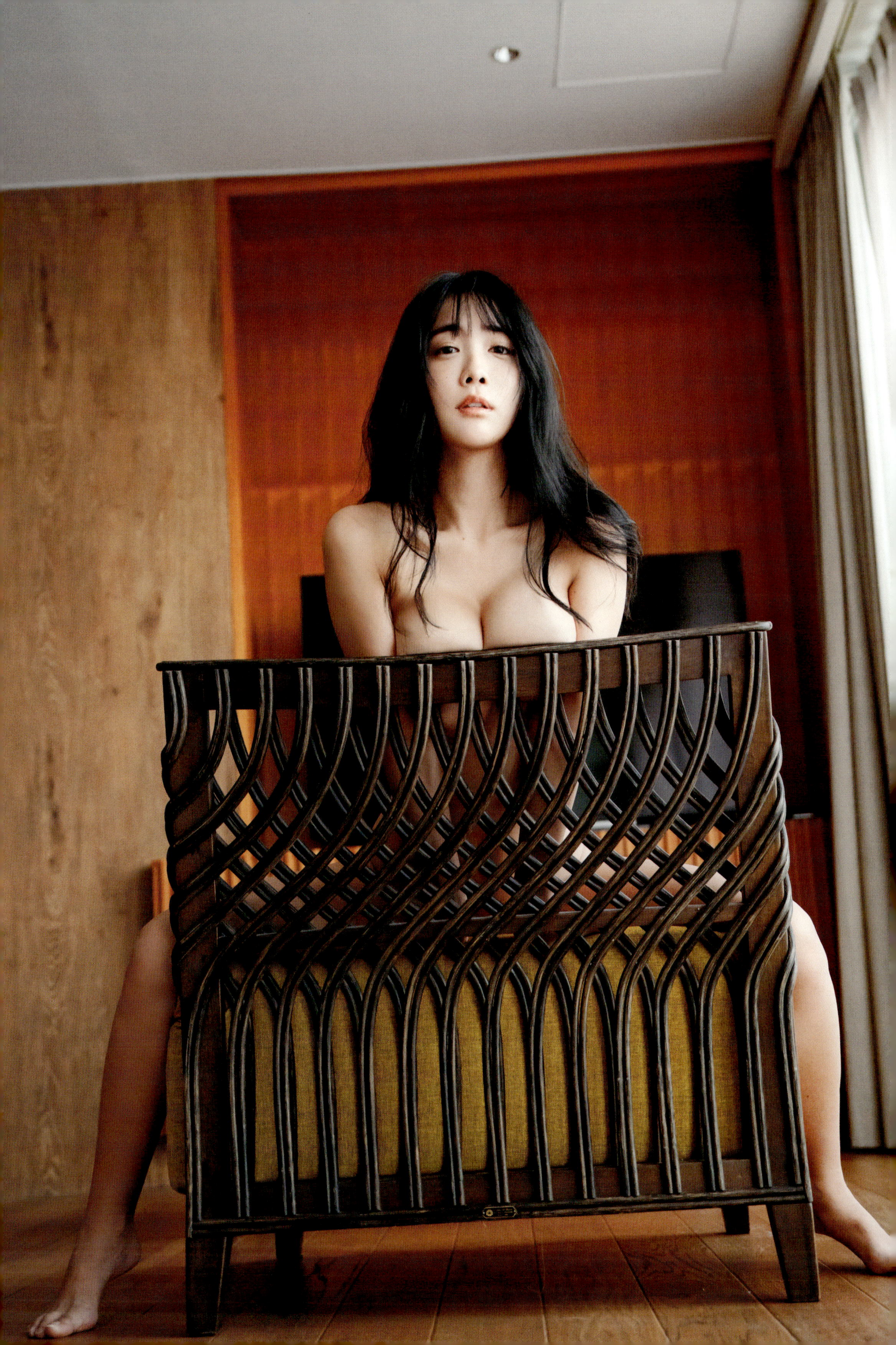

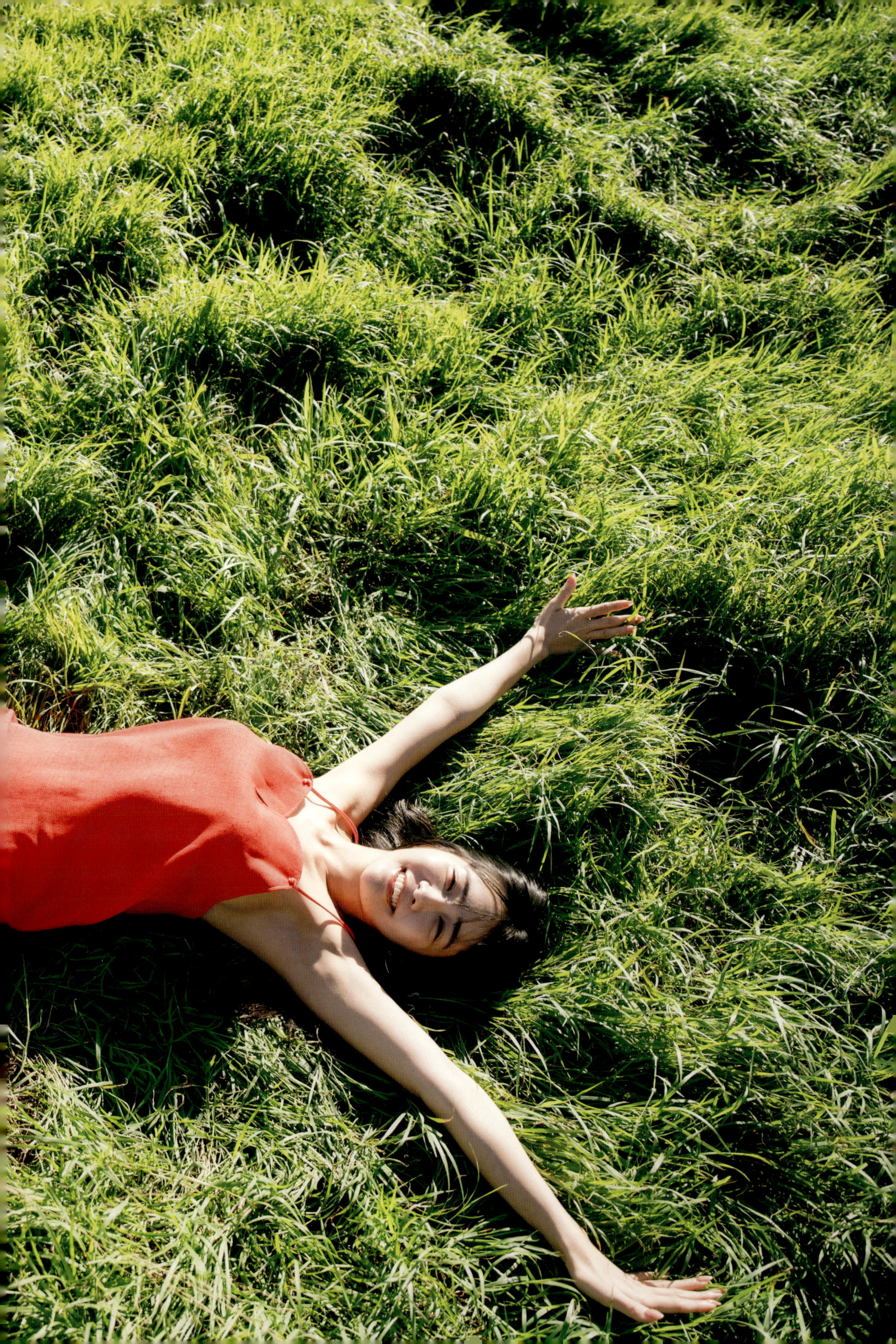

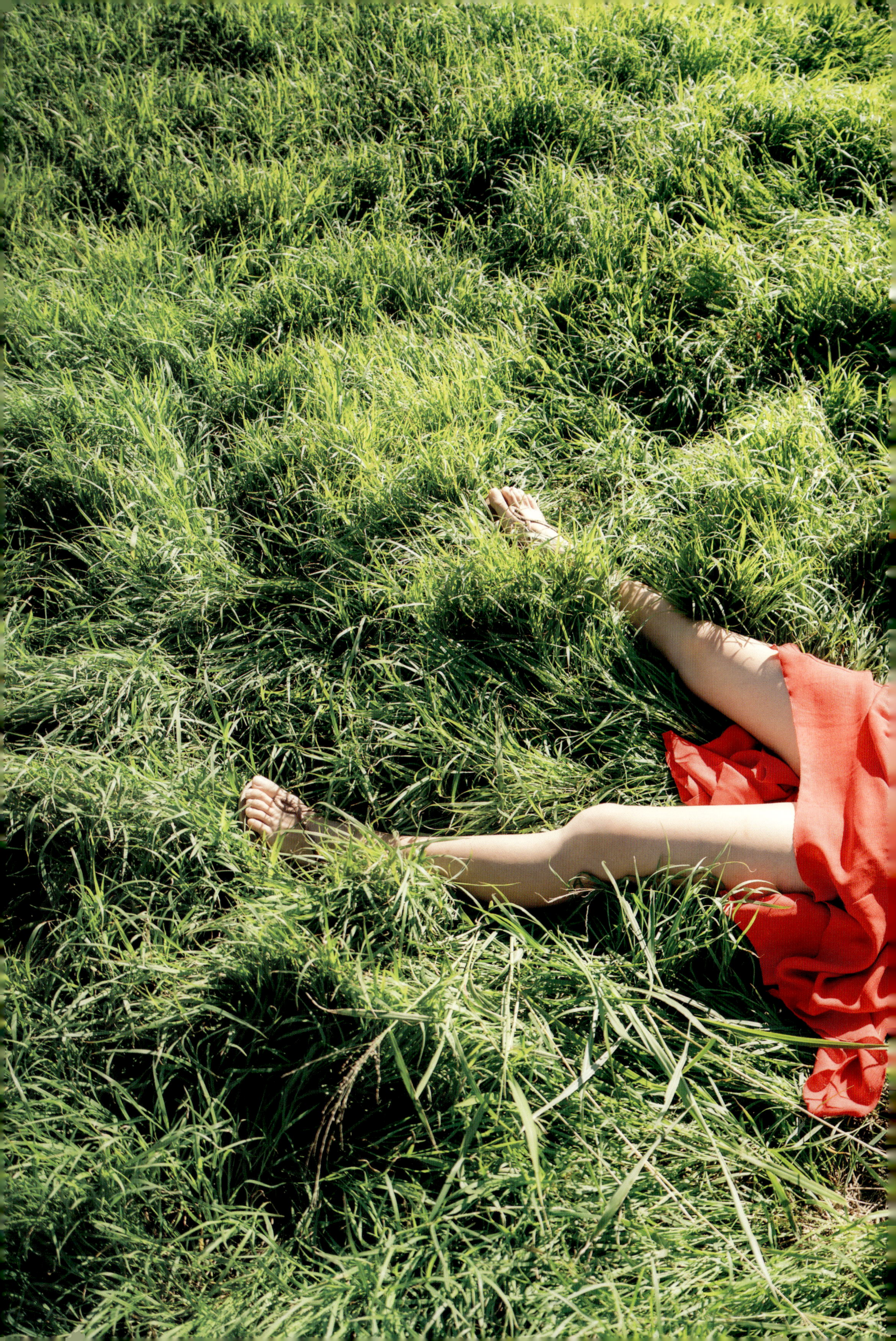

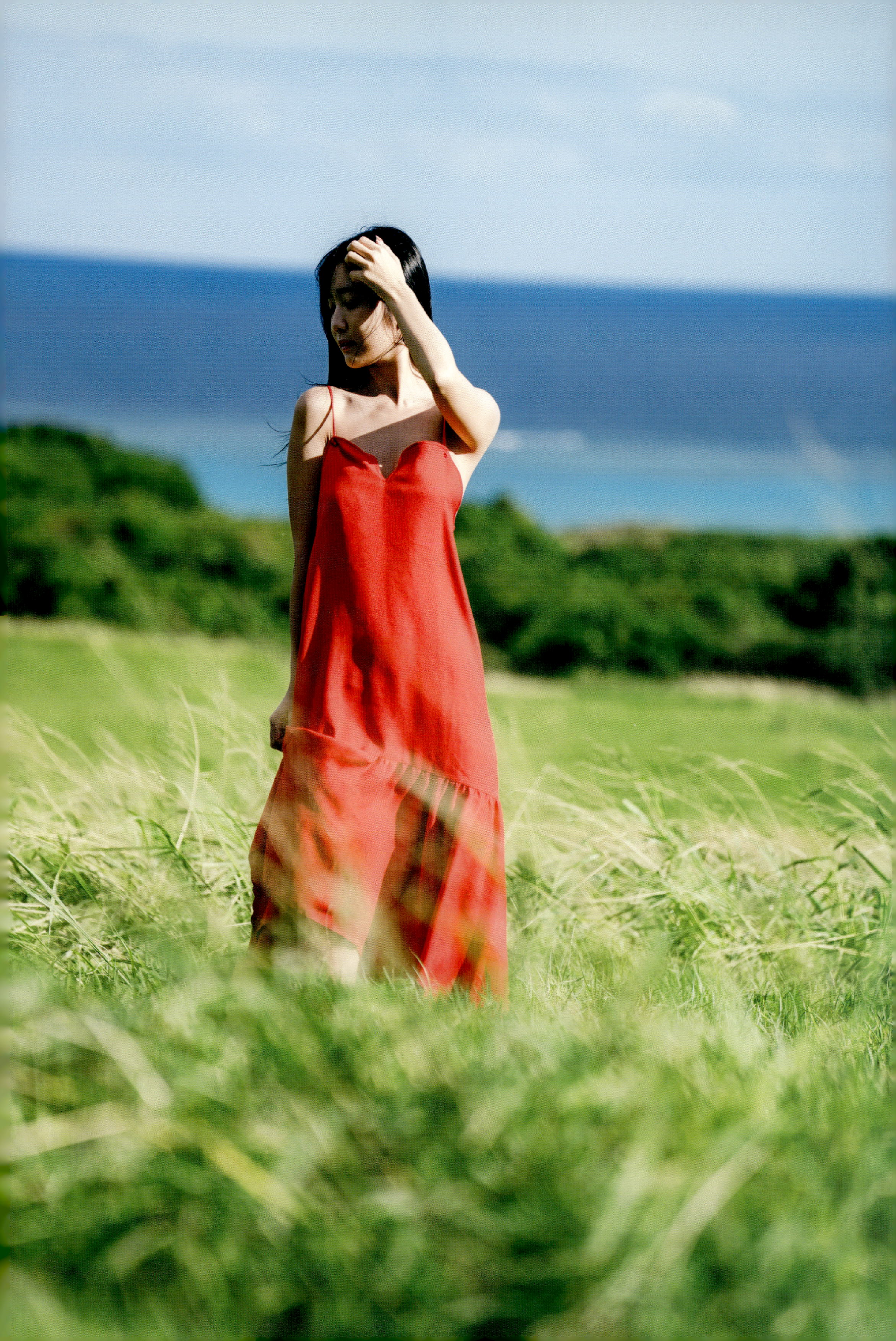

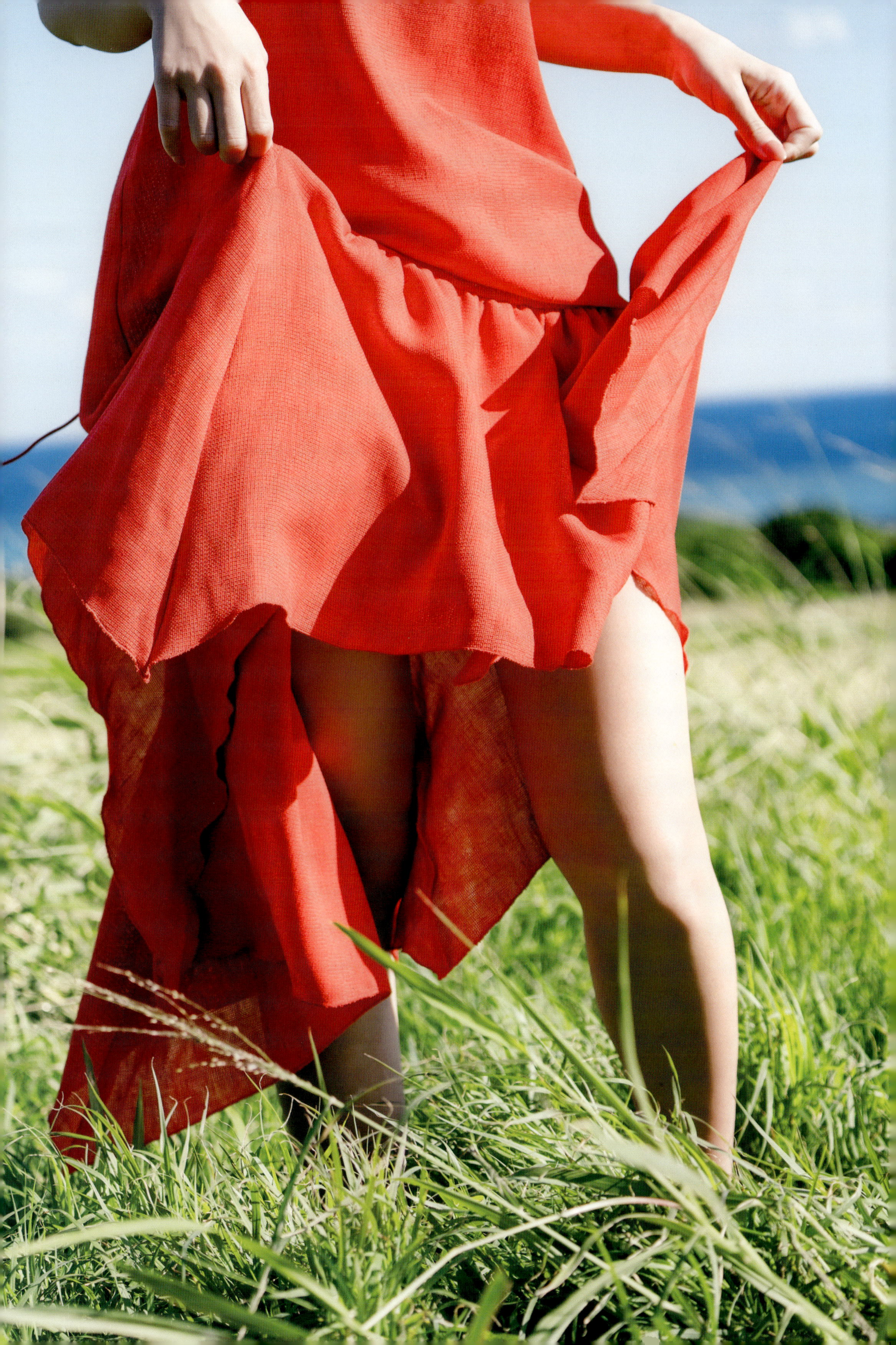

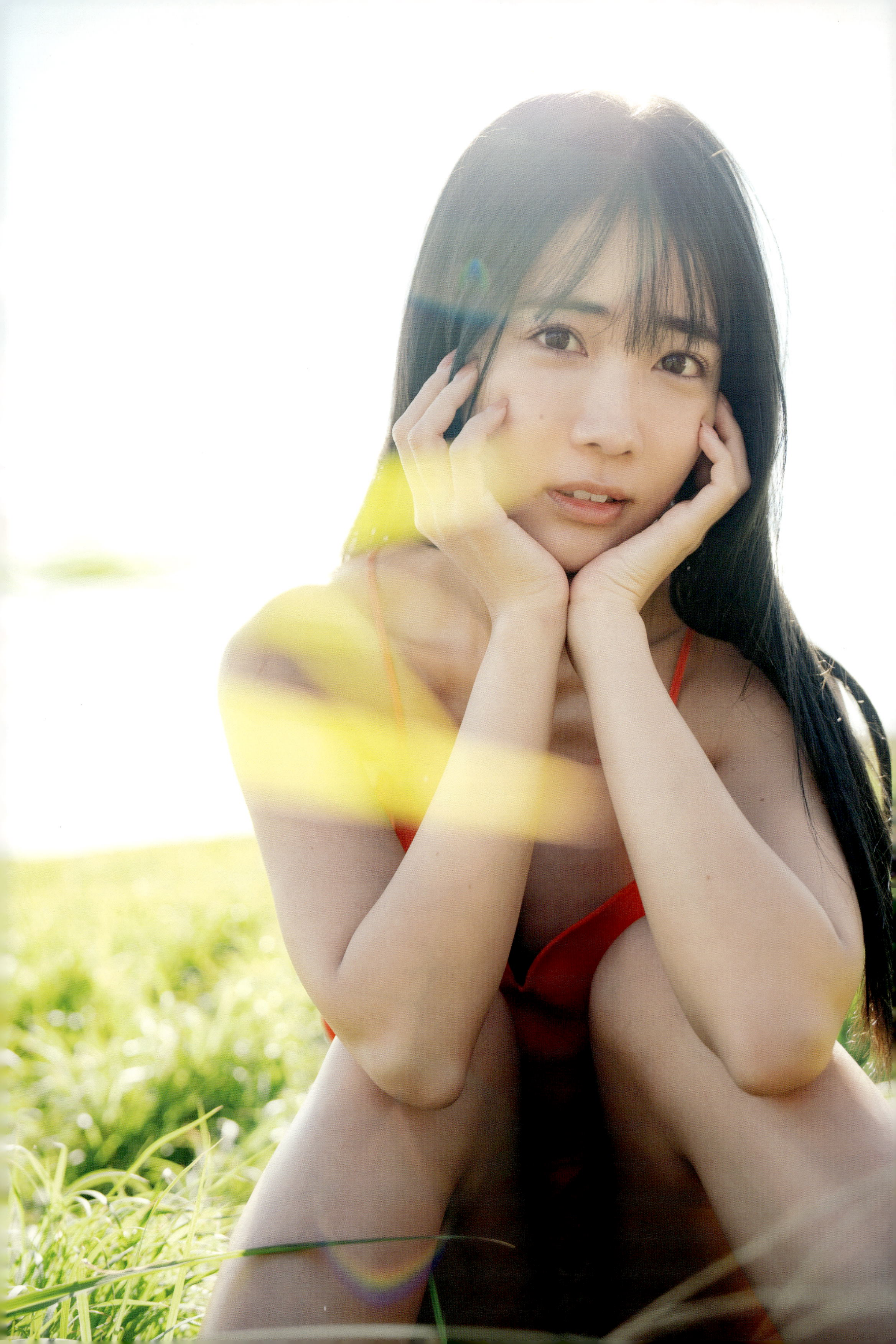

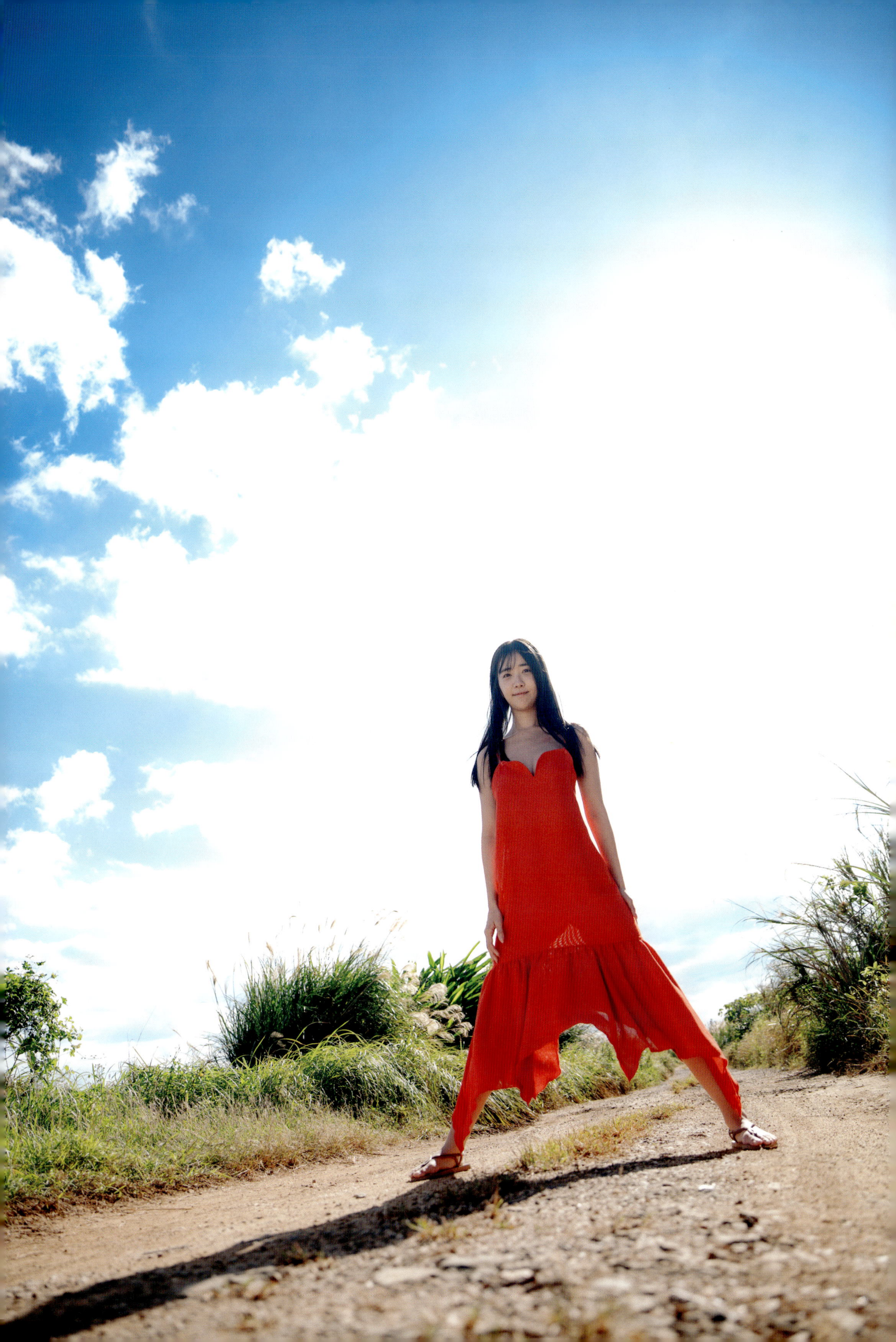

避難器具

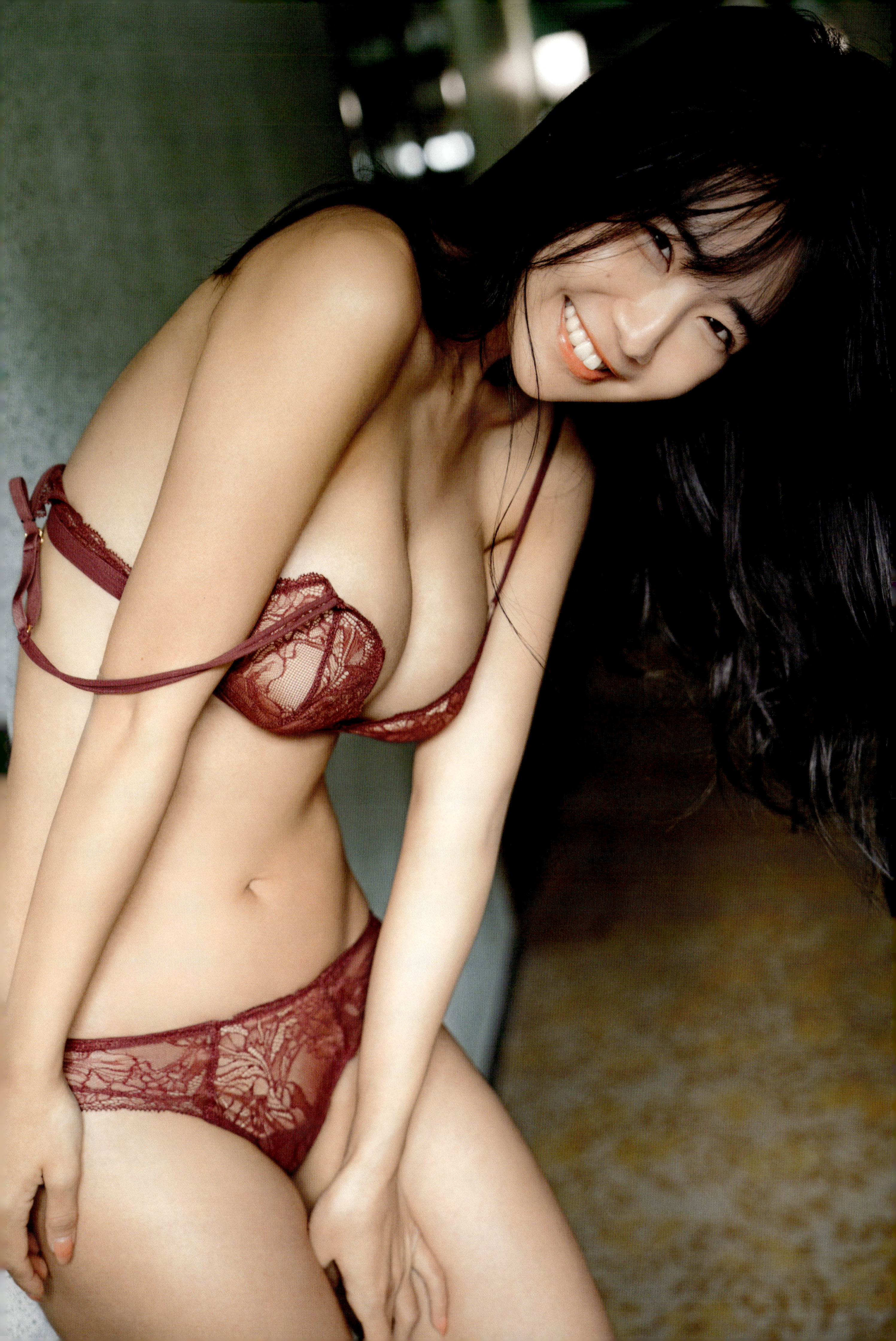

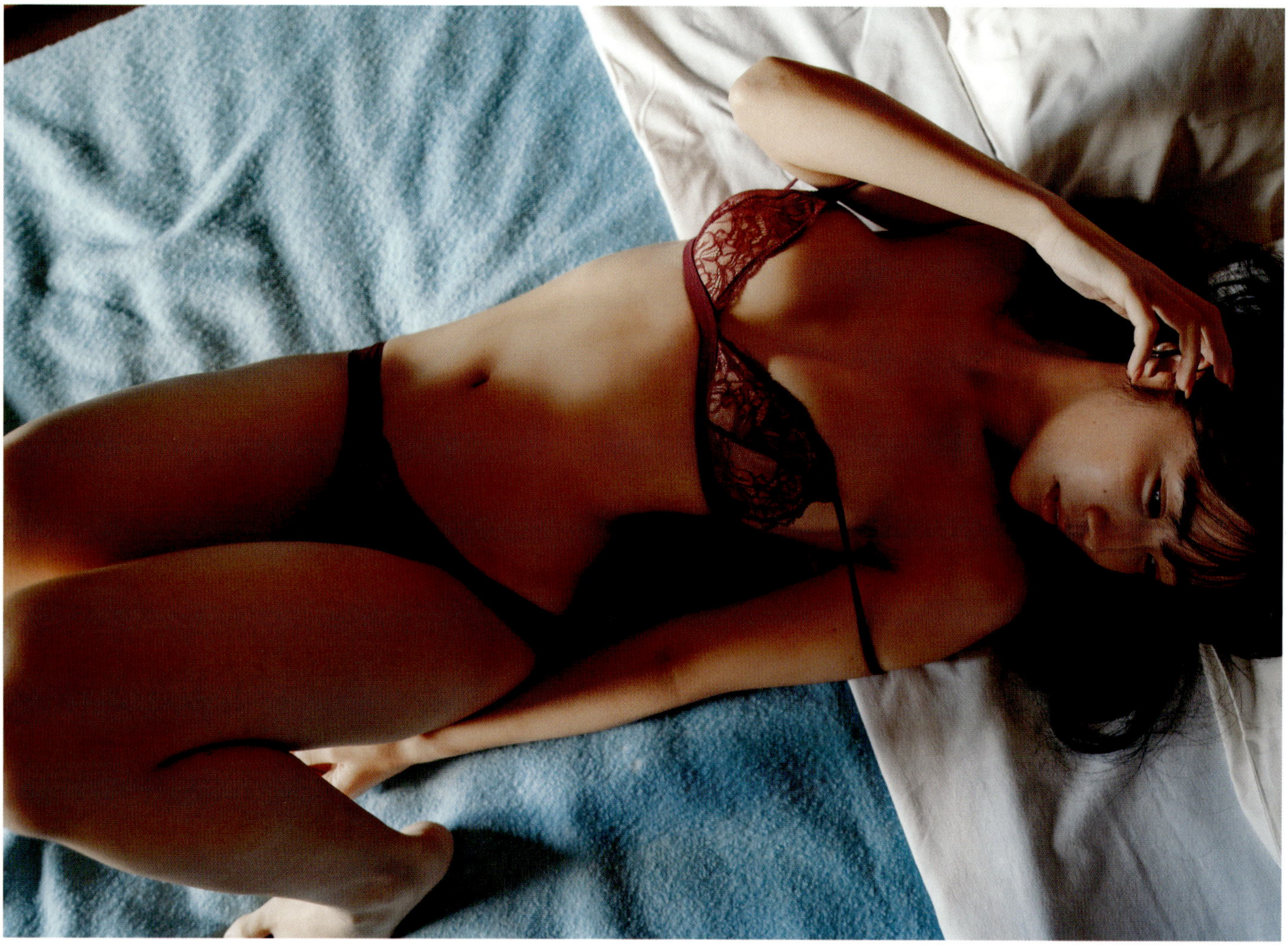

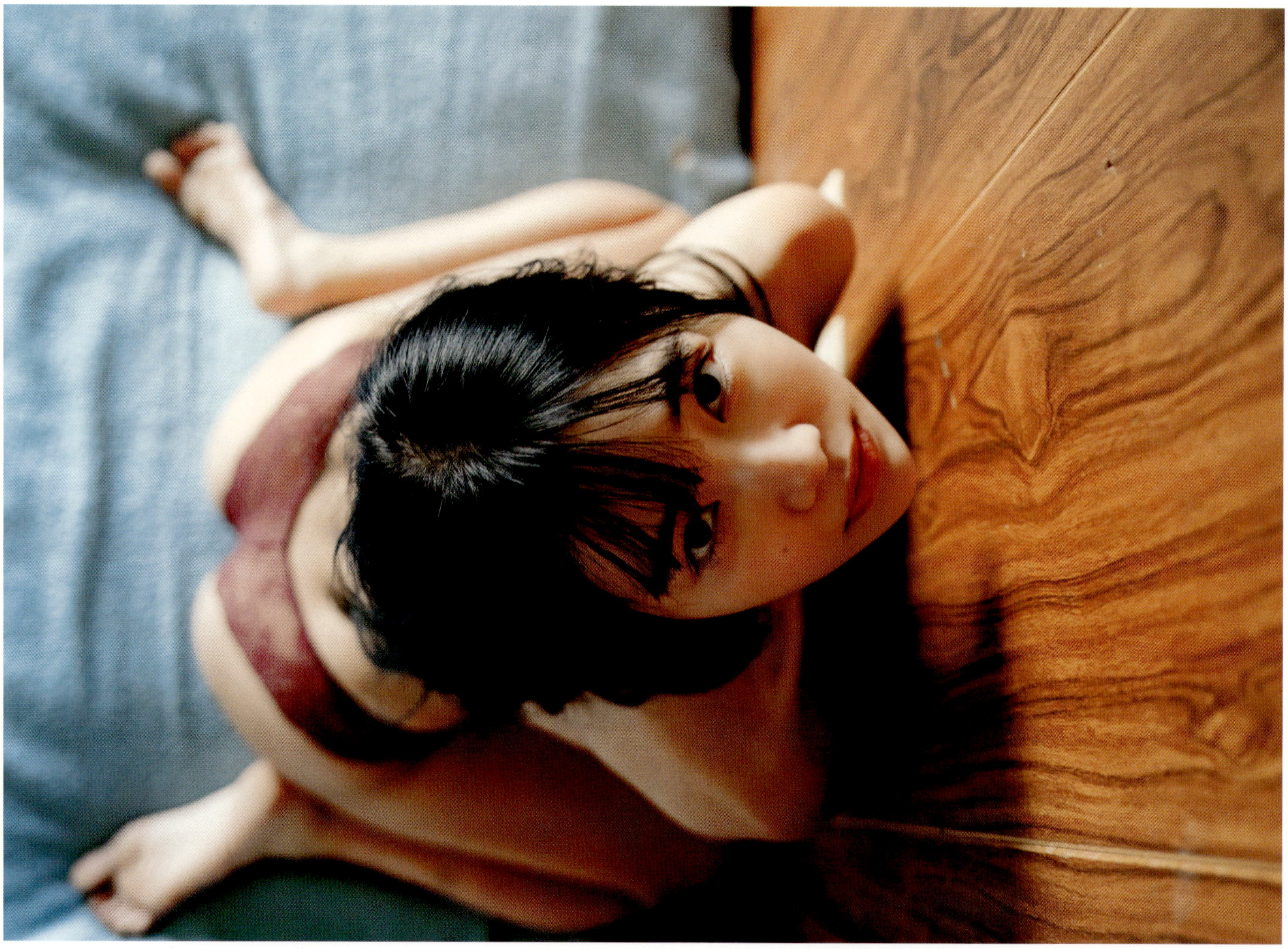

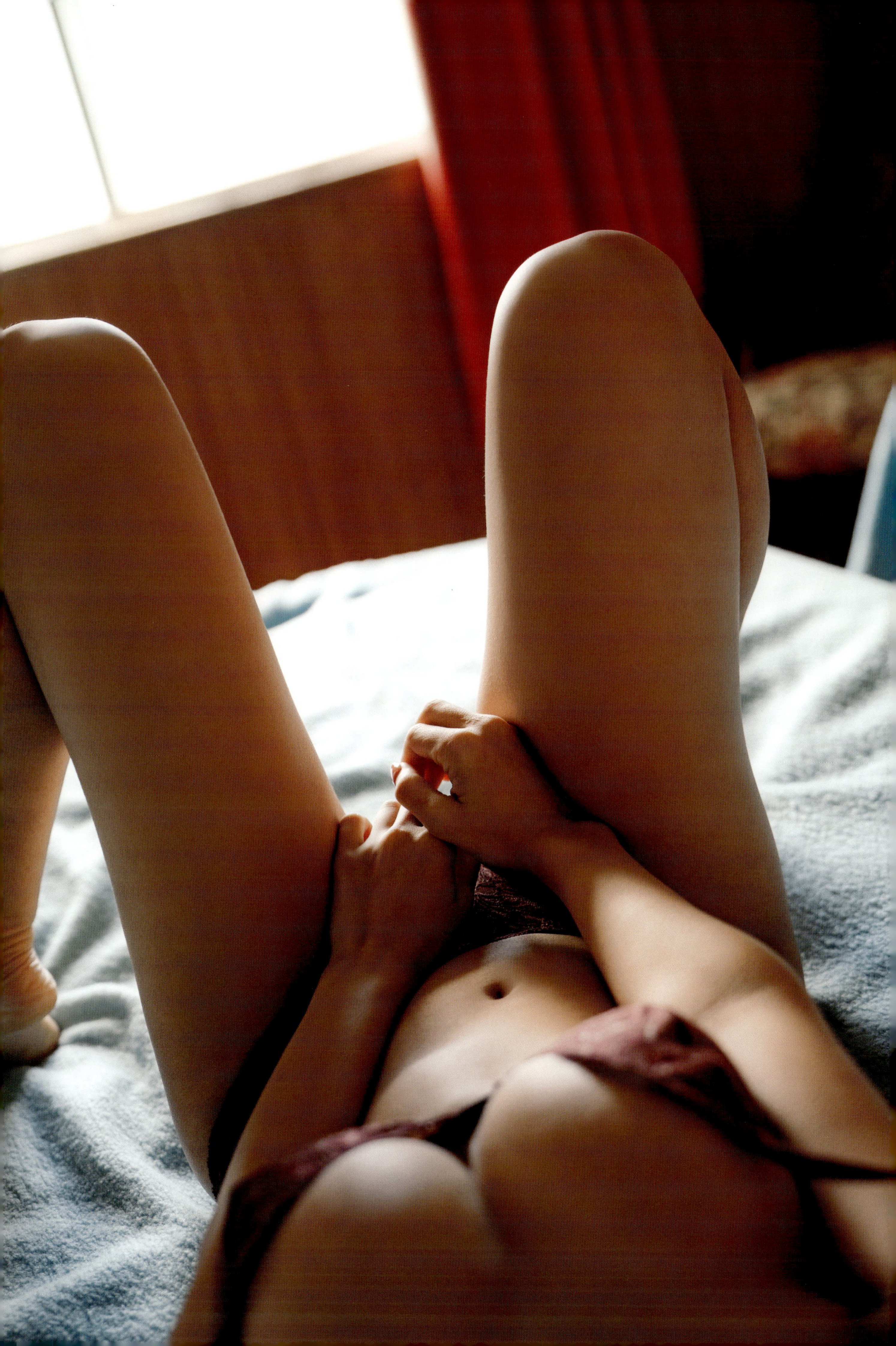

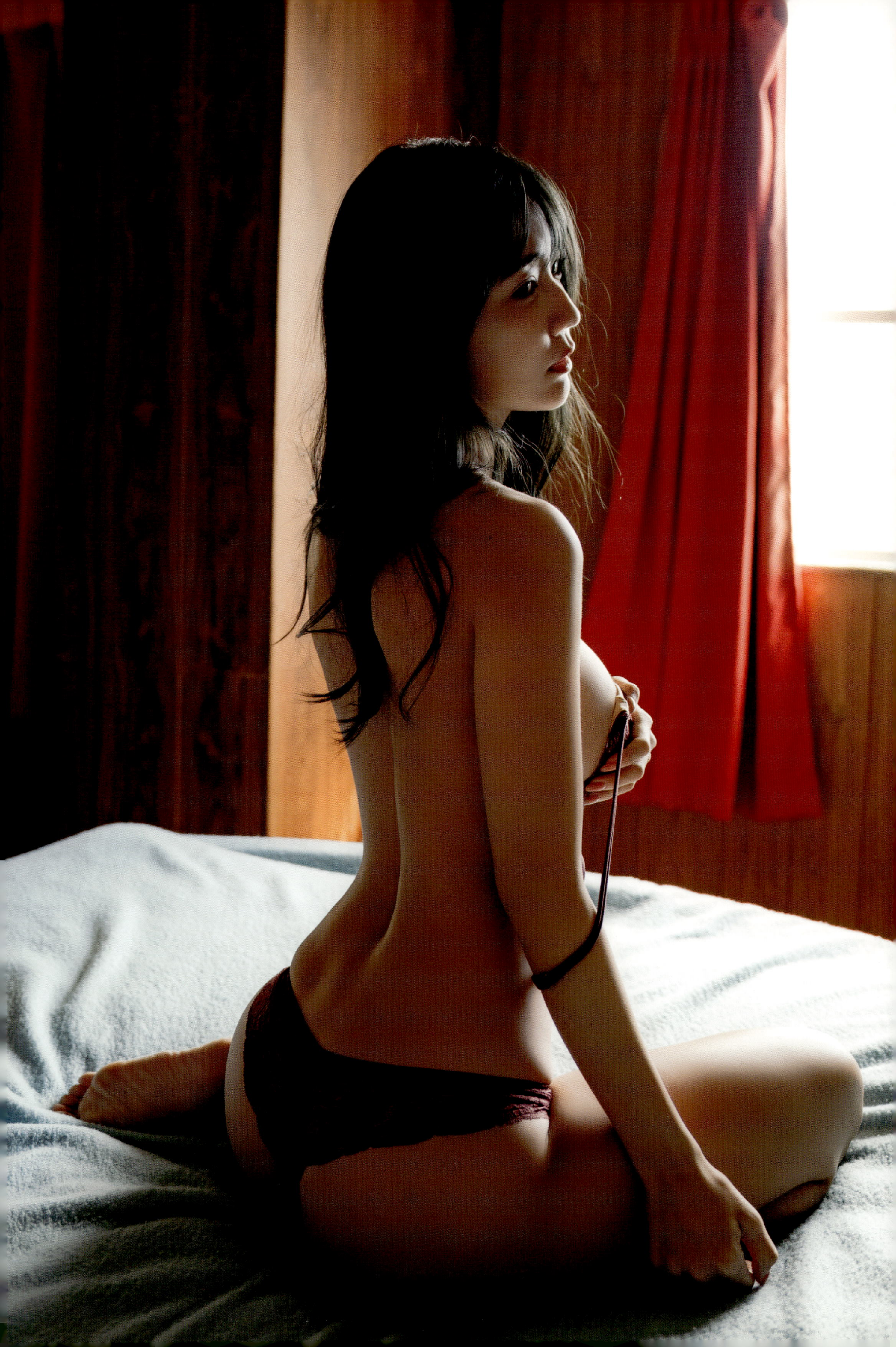

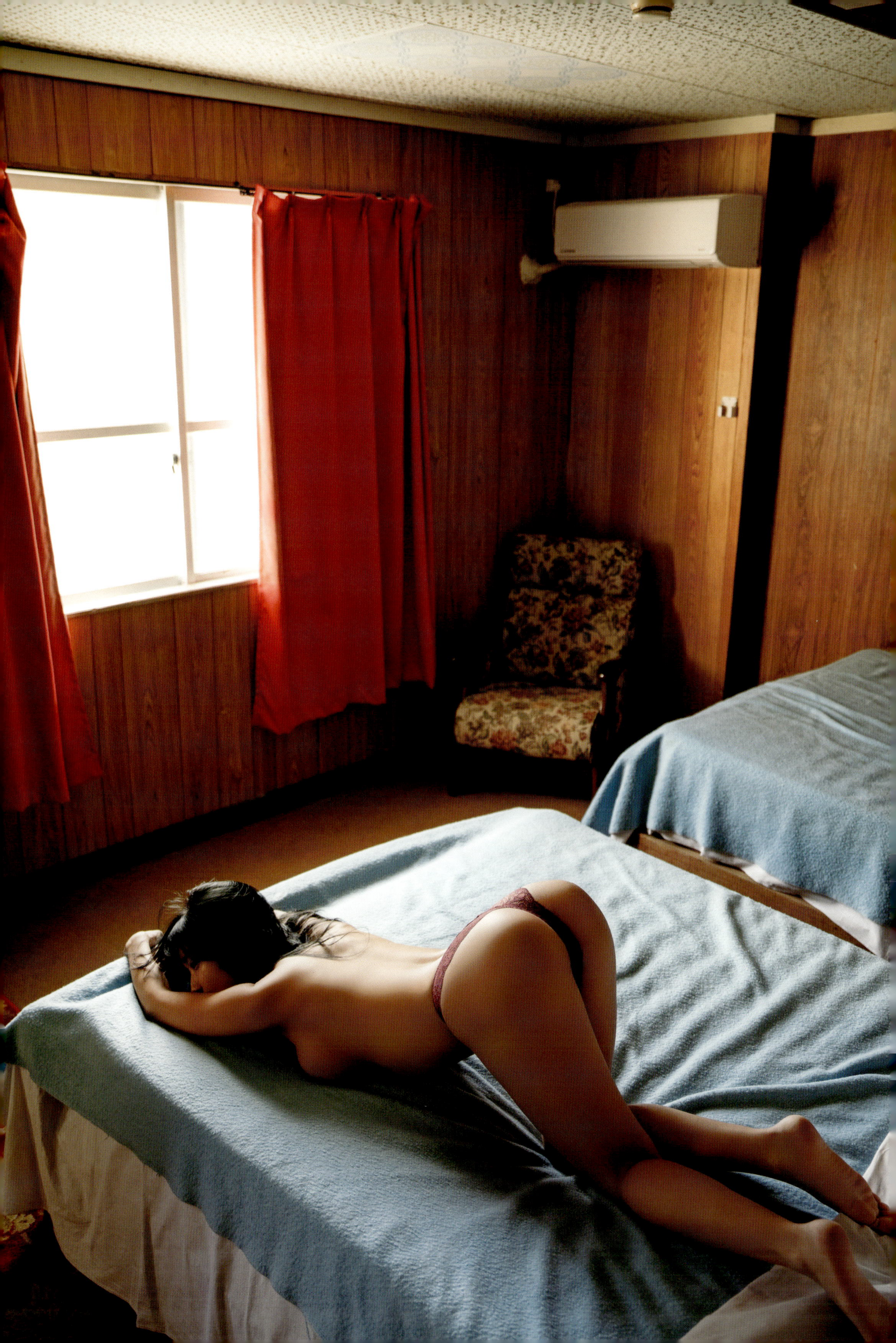

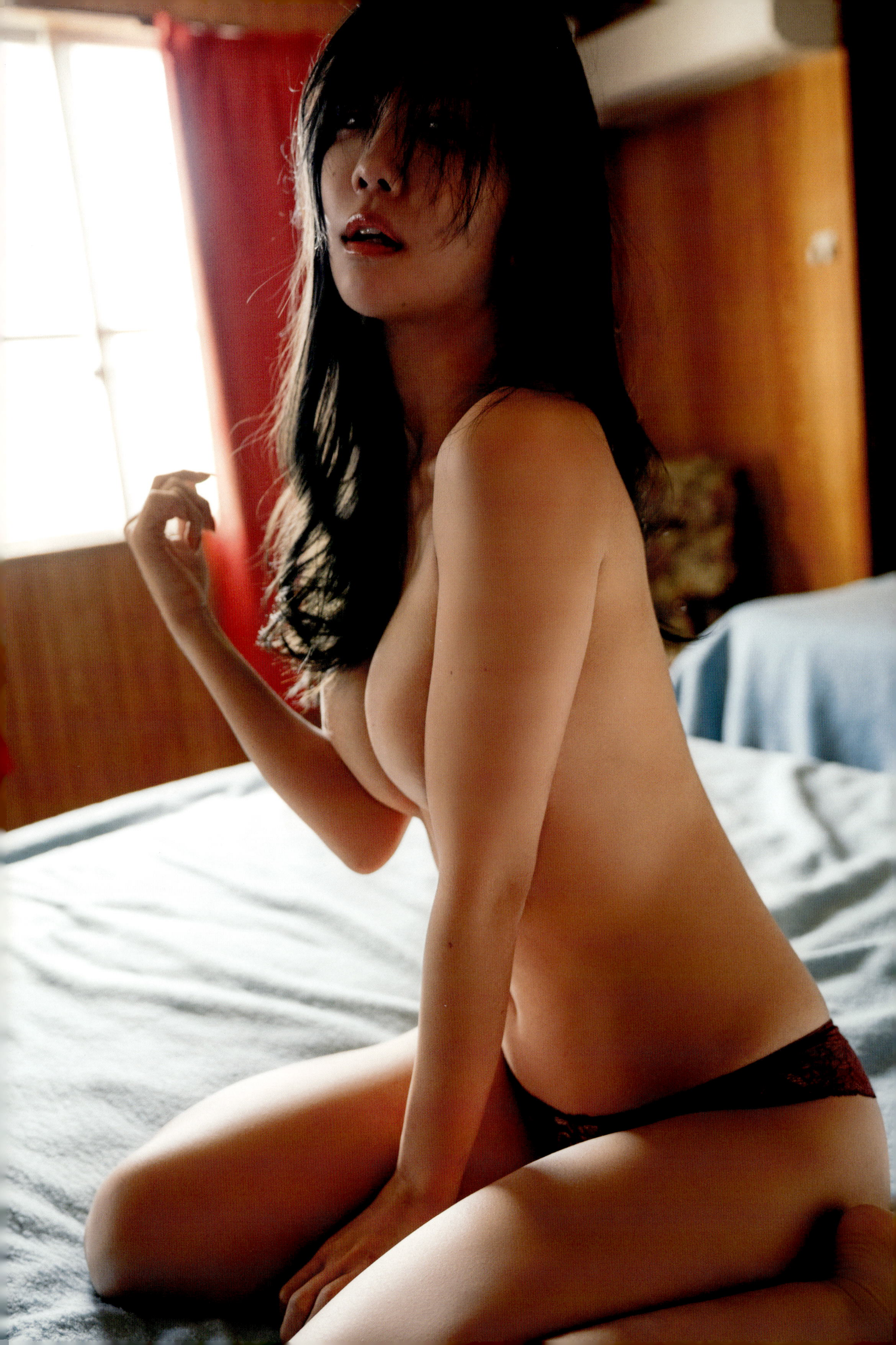

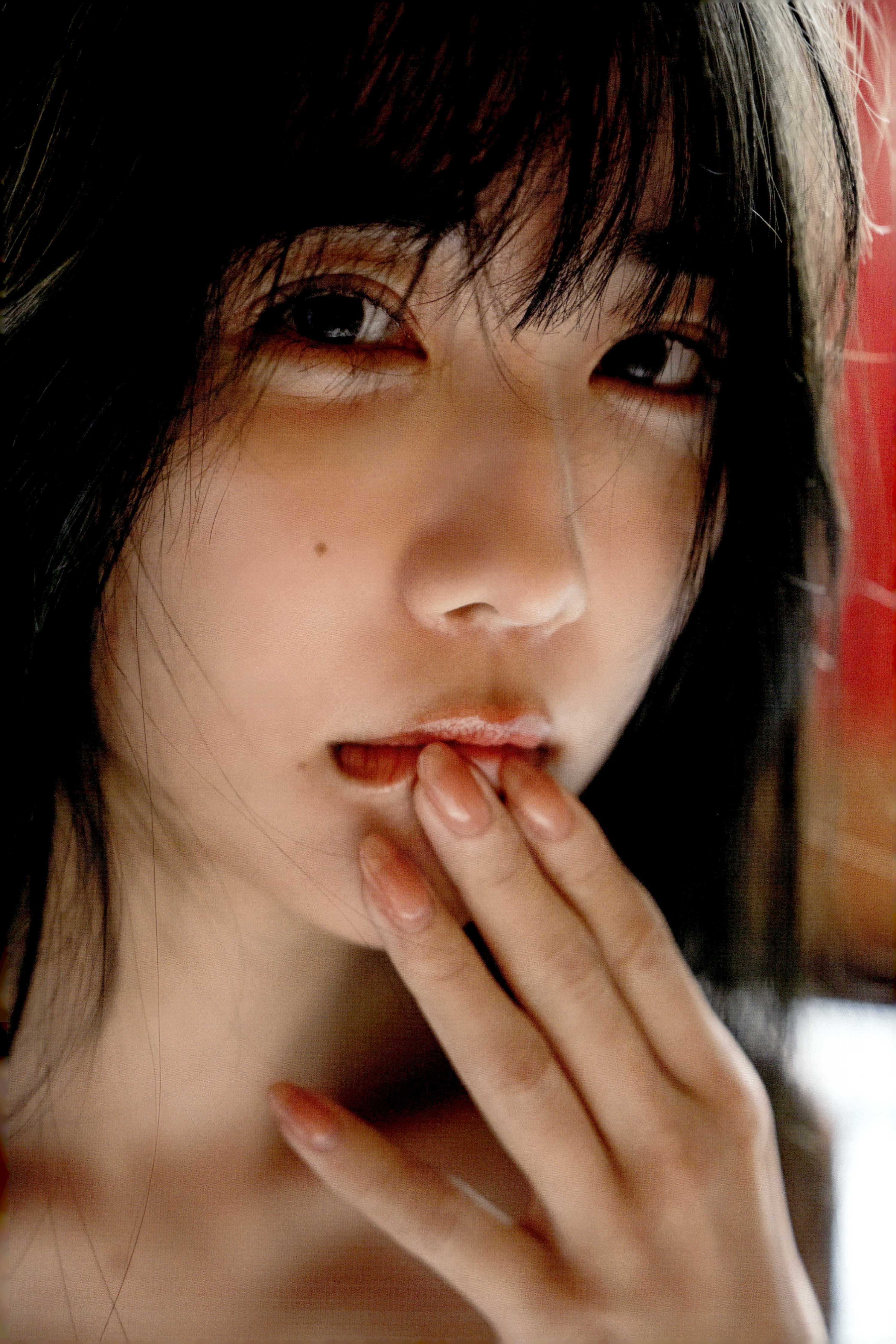

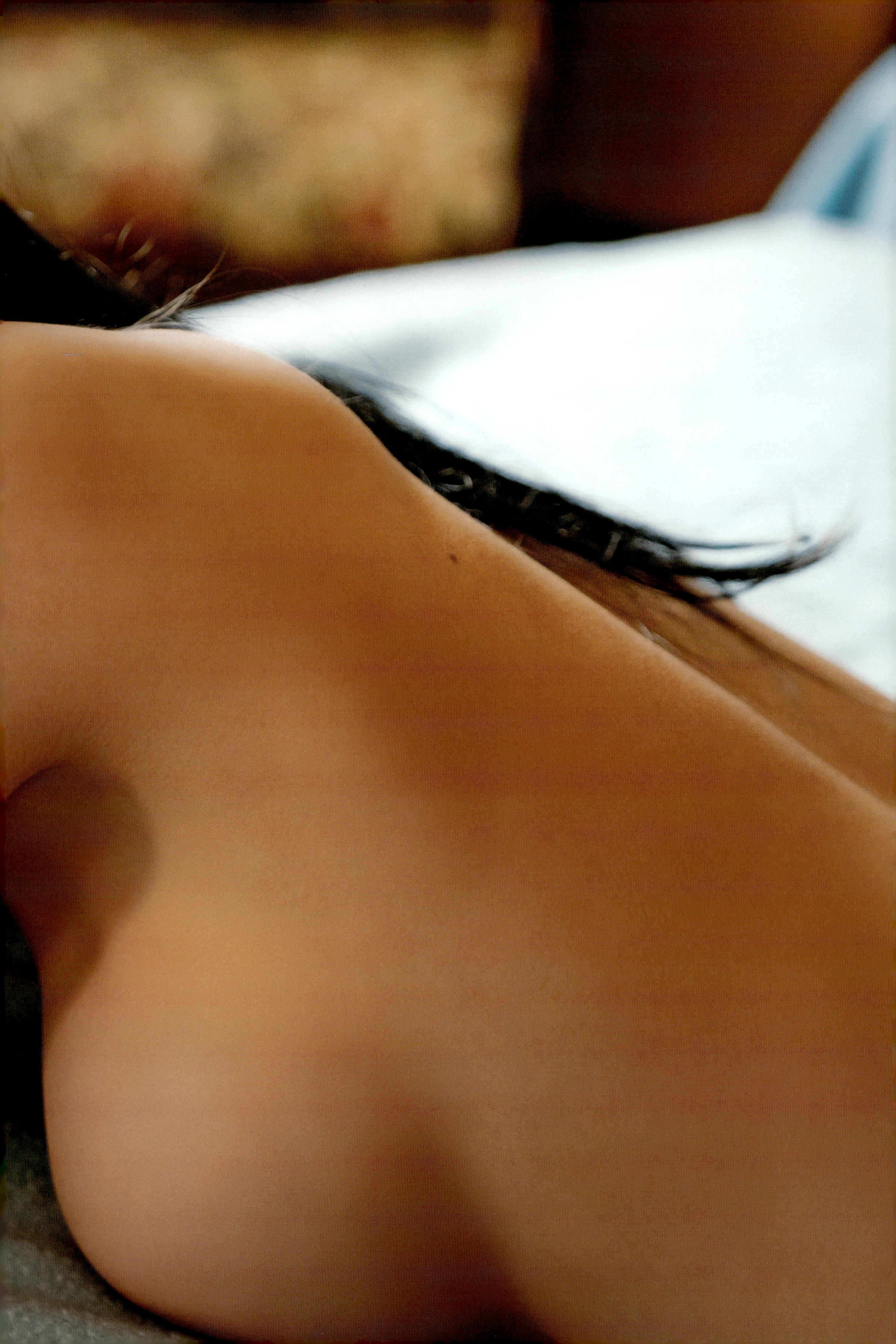

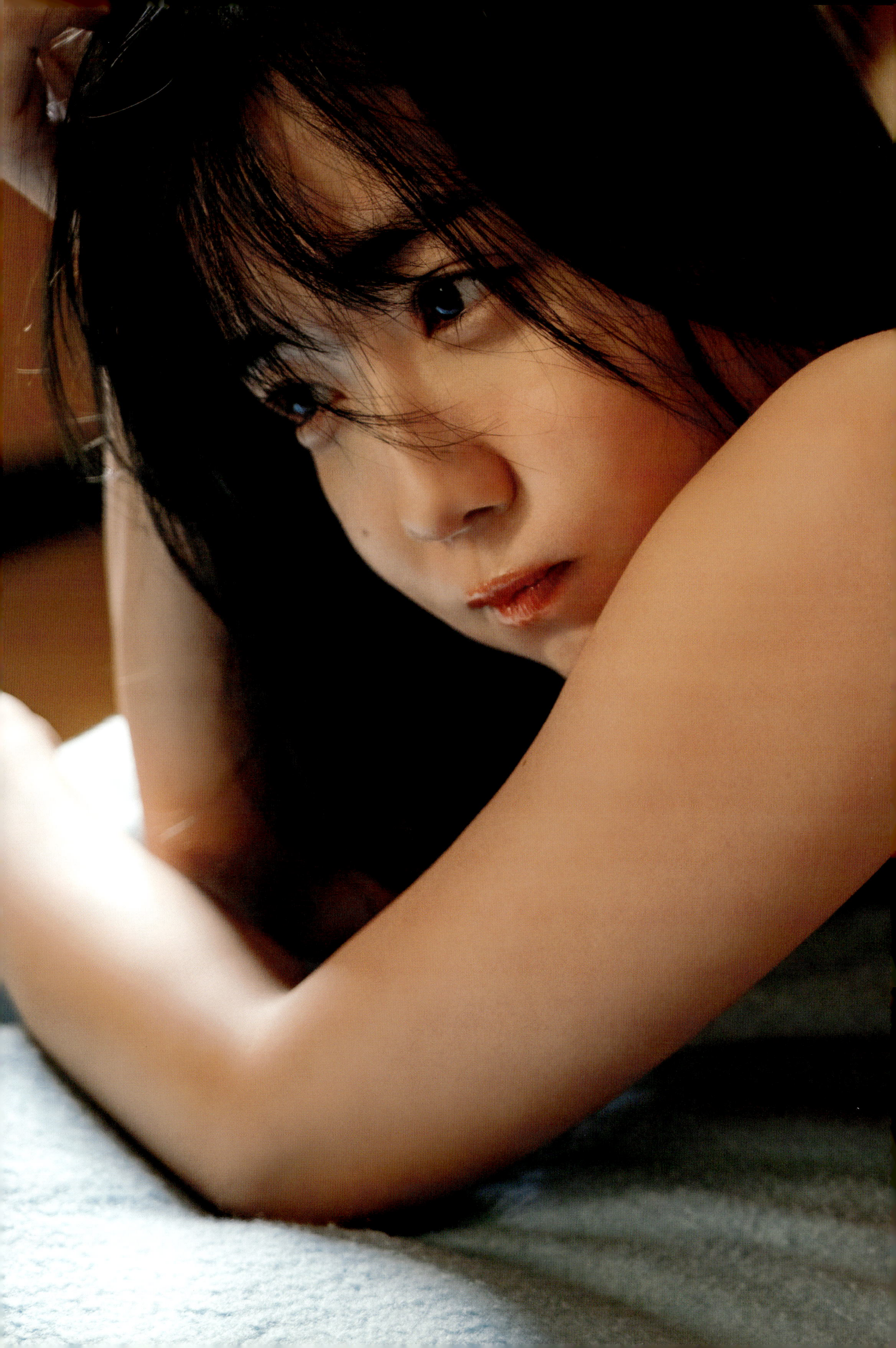

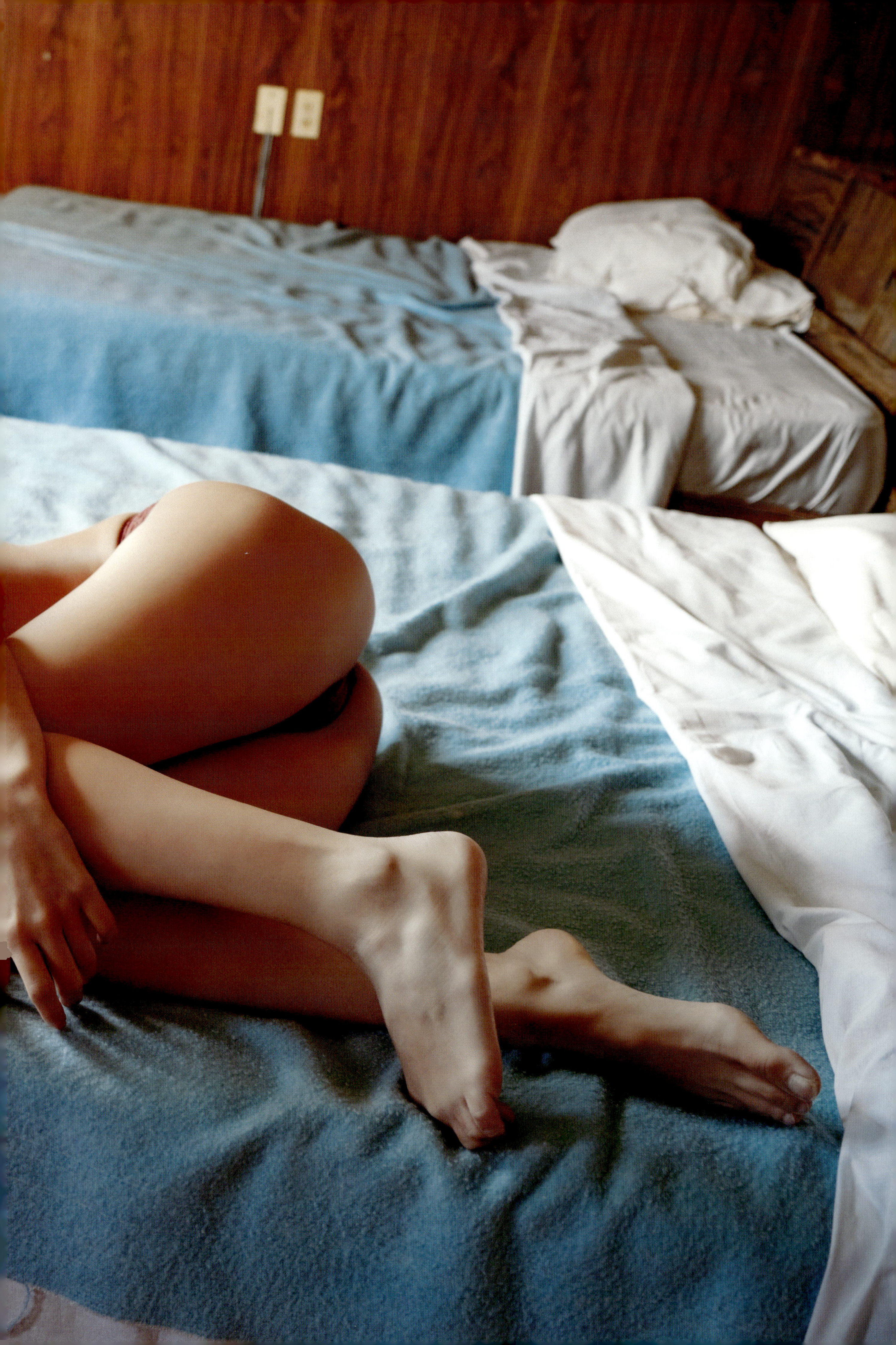

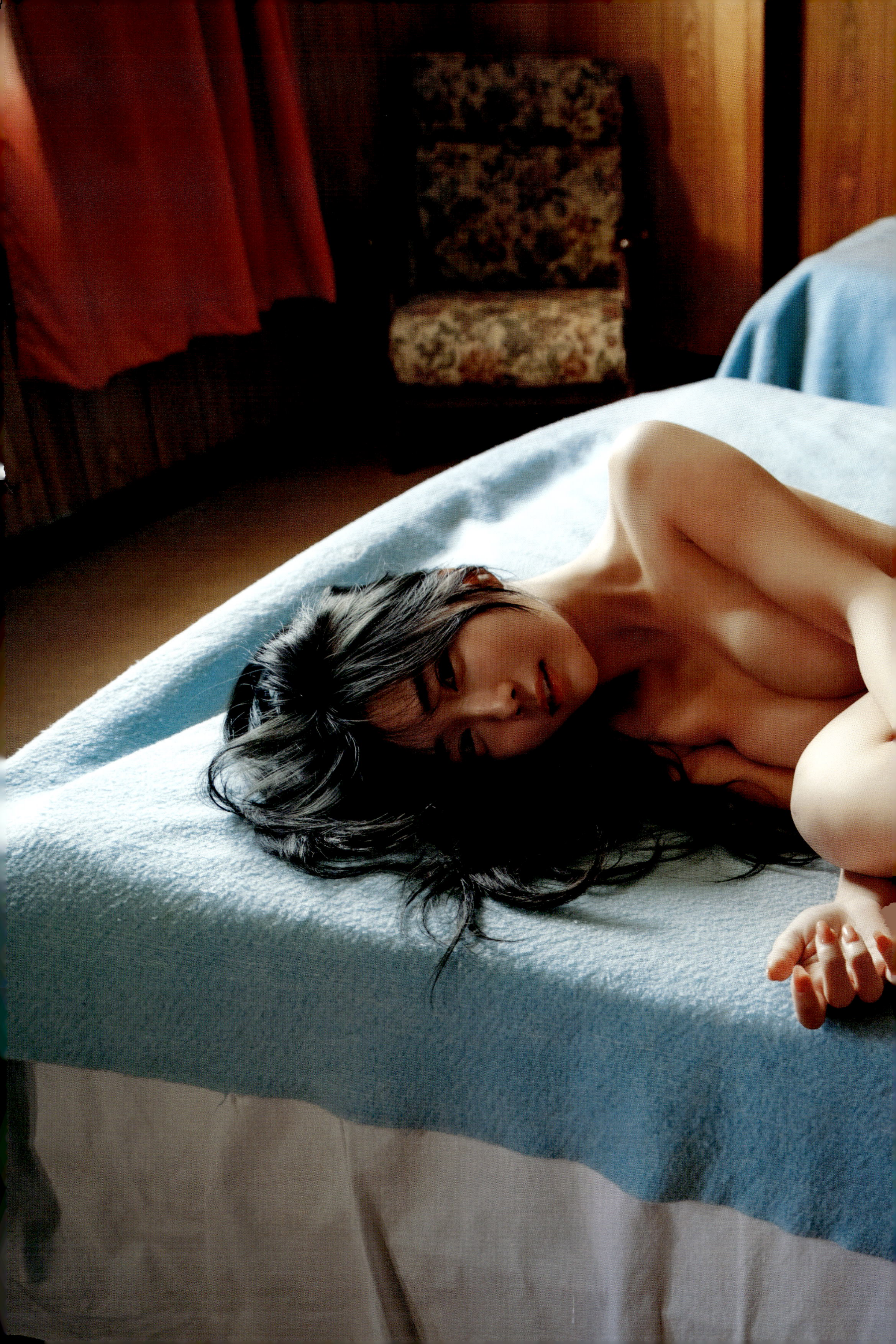

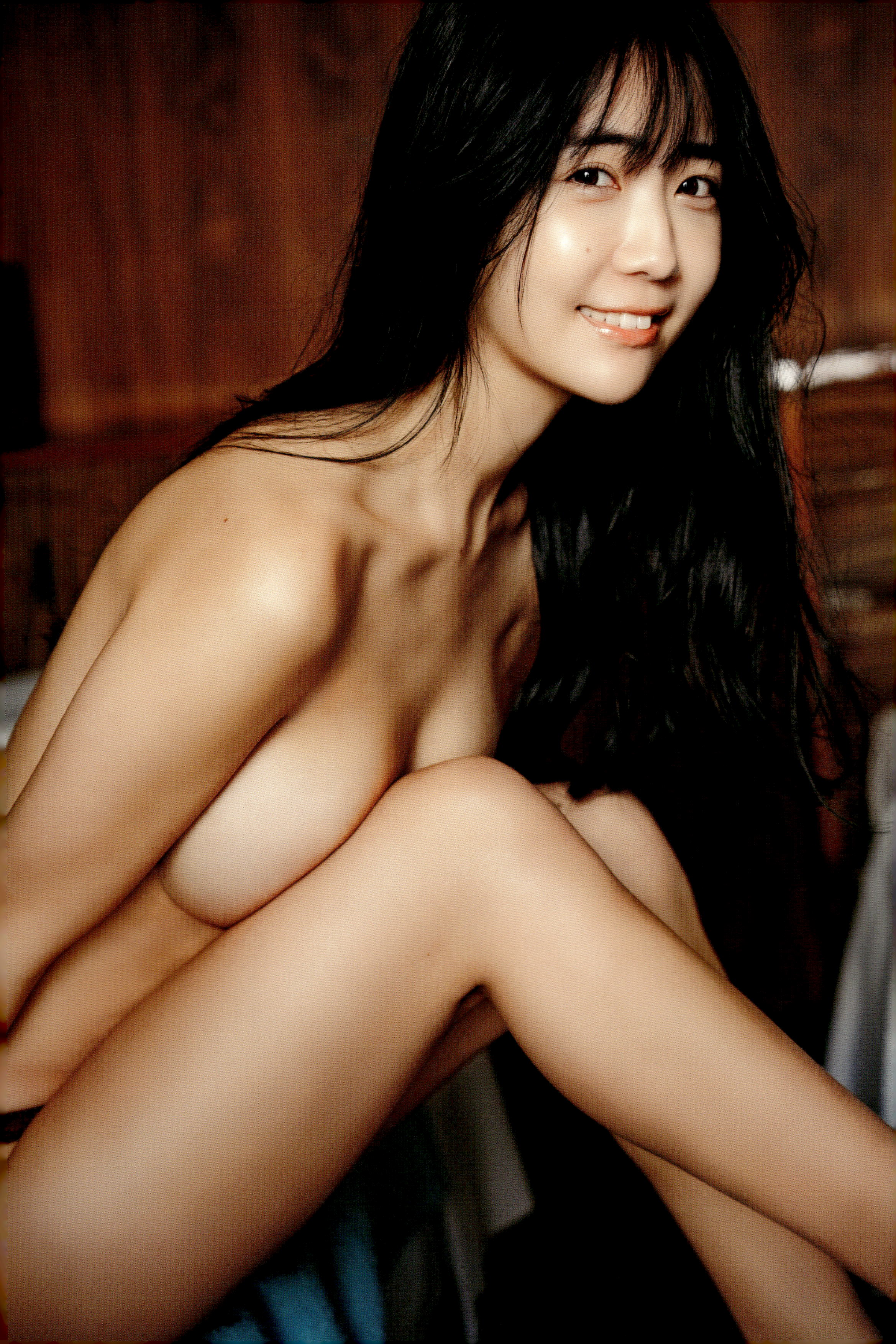

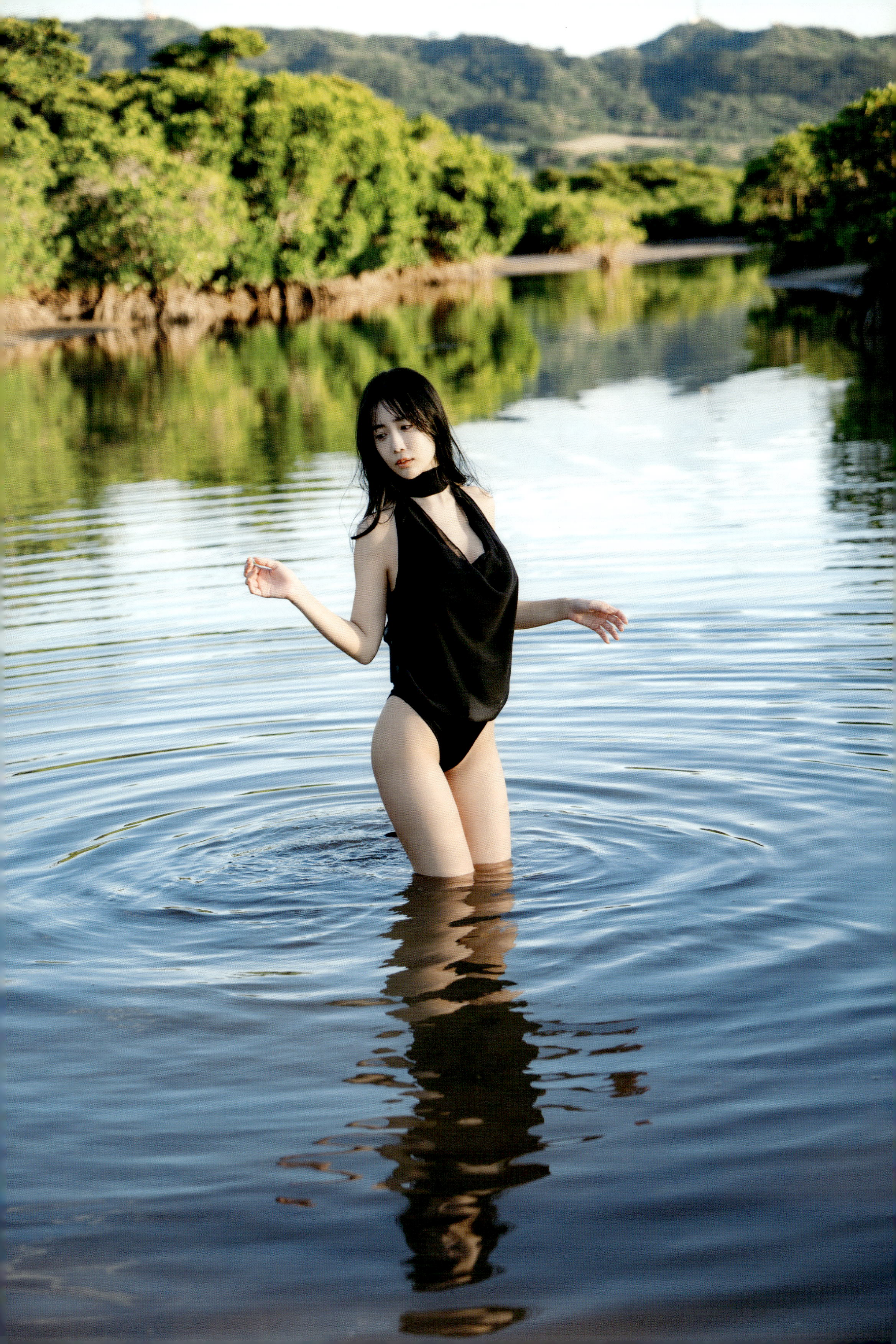

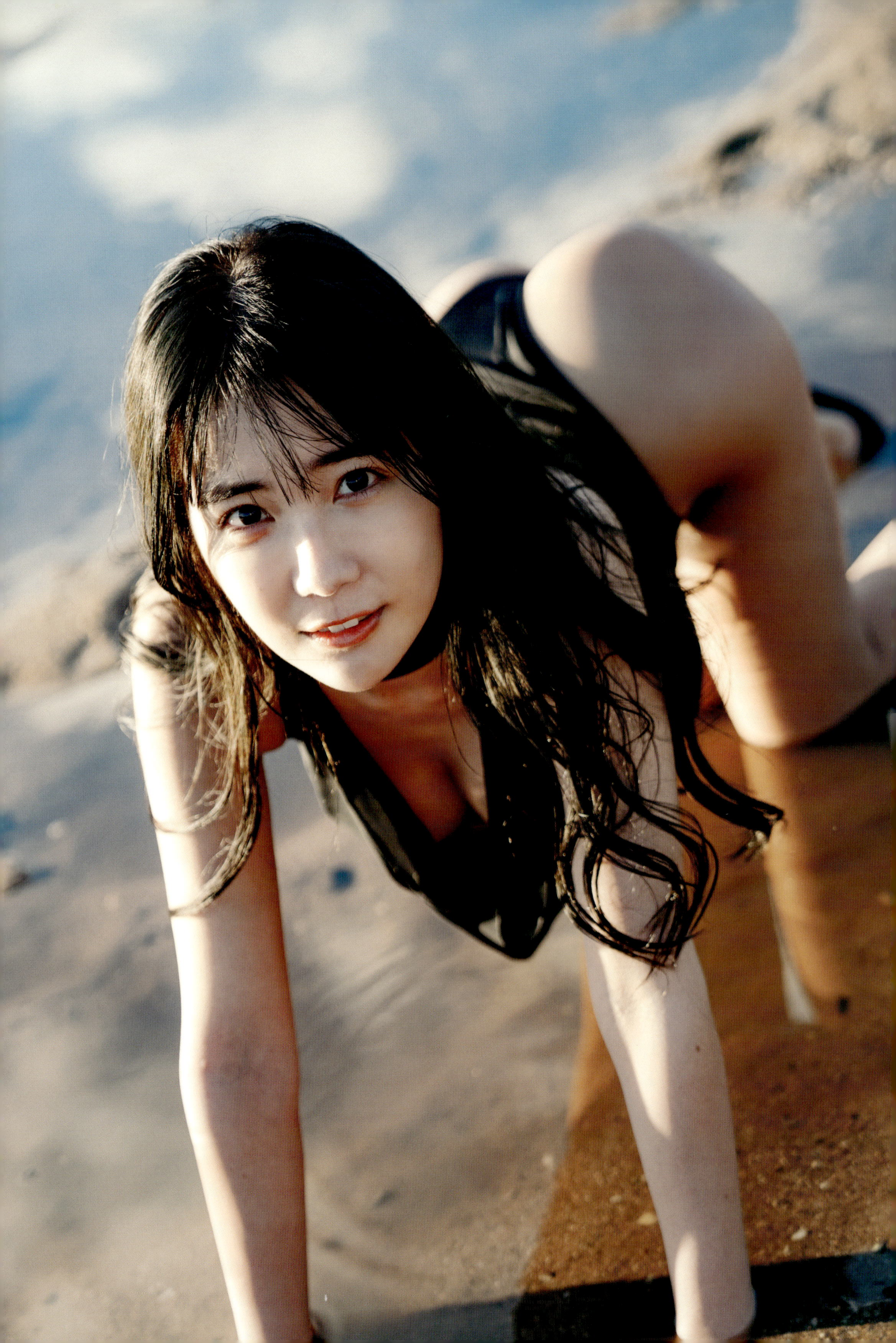

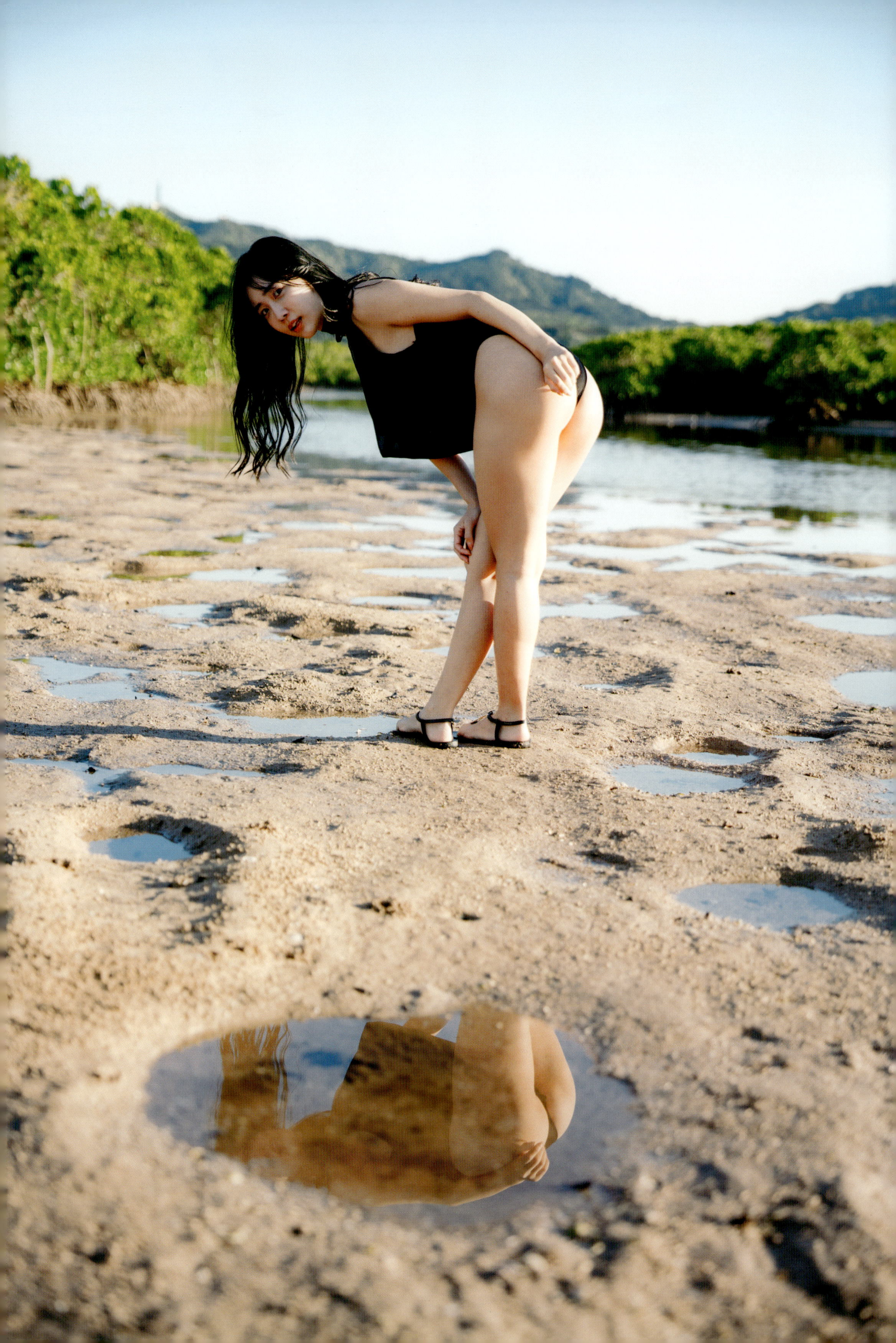

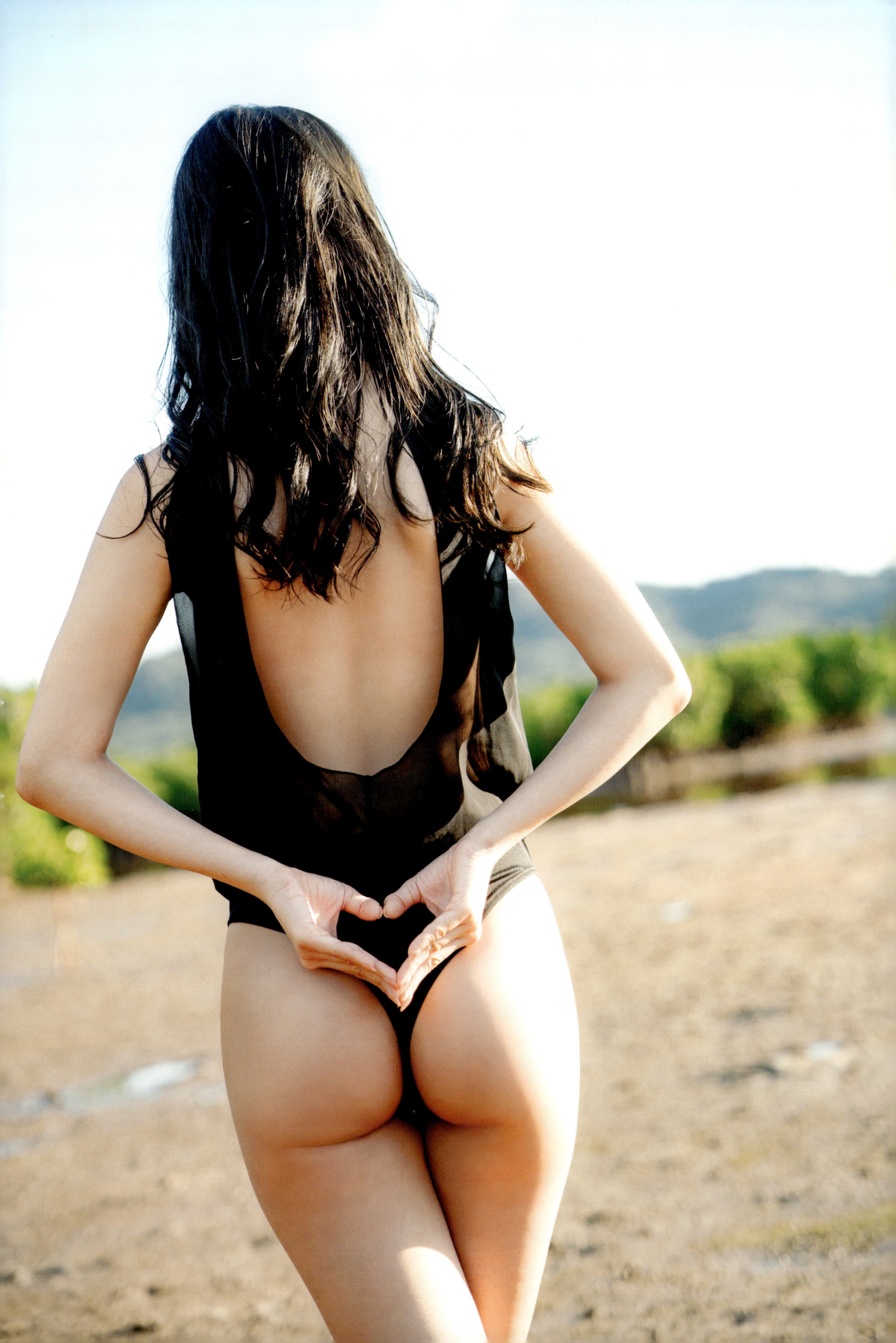

Model ／天羽希純（#2i2）

Photographer ／鈴木ゴータ

Stylist ／工藤沙恵（ミタケイショウ）

Hair & Make-up ／萩村千紗子

Location Coordinator ／福澤卓弥

General Manager ／長谷川喜十郎（ゼロイチファミリア）

Artist Manager ／出口怜央奈（ゼロイチファミリア）

Art Direction Design ／國吉卓

Printing Director ／大場結奈、山口真依 (TOPPAN 株式会社)

Editor ／高篠友一（週刊プレイボーイ）

撮影協力／ HOTEL RYCOM

衣装協力／ fruitsdemer

Special Thanks ／佐野徹、村田真梨恵（ムービー撮影）
藤枝一郎、登坂祐介、永井宏明、村田浩二、
山田陽太、弓削敦、福元庸介（集英社）

天羽希純写真集『きすみすき』
2024年4月29日　第1刷発行
2025年2月8日　第3刷発行

発行人　樋口尚也
編集人　地代所哲也
発行所　株式会社 集英社
　　　　〒101-8050 東京都千代田区一ツ橋 2-5-10
　　　　電話／編集部 03-3230-6371
　　　　　　　販売部 03-3230-6393（書店専用）
　　　　　　　読者係 03-3230-6080
印　刷　TOPPAN 株式会社
製本所　共同製本株式会社

©SHUEISHA 2024　Printed in JAPAN　ISBN 978-4-08-790159-7 C0072

造本には十分注意しておりますが、印刷・製本など製造上の不備がございましたら、お手数ですが小社「読者係」までご連絡ください。古書店、フリマアプリ、オークションサイト等で入手されたものは対応いたしかねますのでご了承ください。なお、本書の一部あるいは全部を無断で複写・複製することは、法律で認められた場合を除き、著作権の侵害となります。また、業者など、読者本人以外による本書のデジタル化は、いかなる場合でも一切認められませんのでご注意ください。